敏捷管理生存指南
不是快，而是適者生存 　　上·基礎概念

深入我們這個時代的工作方法

唐鳳
Audrey Tang

「敏捷開發」到底是什麼？要怎麼做？這是許多人時常提出的問題。

我認為，敏捷開發的作法早已深入我們這個時代的工作之中。

以我的工作為例，在社會創新領域，現在政府的做法是「以個案推動通案」，也就是我們先以個別的組織或個人試驗，再滾動式檢討，哪些法規或實務內容需要修正。例如 NPO 型態的社團法人申請為閉鎖型公司，我們完成試驗後，就是回過頭來再發布核釋，研究如何修改課稅方式。

另一個例子，疫情開始時政府開始制定口罩相關政策，當時大家就開始習慣，甚至期待每個星期發布的新規則、做法，因為大家可以理解一開始不可能想到面面俱到，也因此政府接受任何人提出具體的想法，我們馬上就來判斷這個可行，本周四就會改，或者是這個不可行，下周四會想出更好的主意。

在我看來，這些都是充分發揚了敏捷開發的精神：也許不是每件事都盡如人意，很可能發現這件事出問題了，但至少一、兩個禮拜就可以面對它又解決它，再按照實際的情況，這邊不夠就再做一點，再往前推進一點，一直到大家覺得 ok 的地方停下來。

透過這本書的實例和解釋，任何有興趣的朋友，都可以更深入地認識和實踐「敏捷開發」。

值得考慮的一套新管理模式

李嗣涔　Si-Chen Lee
台灣大學榮譽教授

　　第一次聽到「敏捷管理」，丈二摸不著頭腦，這又是甚麼新式的管理模式？原來它有兩個特點，第一：一年專案切成 12 個小專案，每月檢討一次，迅速改正錯誤調整方向；第二：改變傳統金字塔階層式的領導方式，以自我管理的團隊為核心，自發管理、自行分派工作，並一起使用認可決。這些做法與傳統管理文化「接受命令限期完成專案」的模式完全不同，初看之下很難讓人接受；經過本書的分析及案例的說明好像也有一番道理，是新創公司或大公司內部專案團隊可以考慮的一套管理模式。希望大家細細品嘗，思考敏捷管理的邏輯與道理，看看是否適用於自己的工作團隊。

創造變革效益的新管理模式

陳宗賢　Richard Chen
聯聖企管顧問集團董事長

　　管理學的論點已有百年歷史，不過進入 21 世紀卻有更新的主張與實證出現，這全是因為世代更替的效應，出現於 2003 年美國猶他州的軟體公司只有 17 個人，卻於有限時間完成超越總人數的客戶委託案，從此一舉成名，這就是敏捷式專案管理（Agile）的由來，這與傳統瀑布式專案管理（PMP）有著明顯的不同：強調一切均自發性的設定目標與實現作法，全體共同參與，而不是等待指令。它在 2005 年傳入台灣，2015 年後被大力的推薦與討論。

　　在台灣，我是在接觸鈦坦公司後，發現當時的林總經理已將此新的專案管理模式導入公司，而且產生很顯著的成效，因此陸續地得到各種獎項與肯定，令人欣賞，後續也看到他將此管理模式持續地發表在許多雜誌上推廣與共享，如今得知即將有新書出版，甚為興奮，因為台灣真正懂敏捷式專案管理的人不多，主要是許多企業經營管理者仍是習慣於舊有的管理模式，而今日勞動市場中新世代輩出，新的就業觀與勞動價值觀，加上就業模式的改變，變革已成主流。

　　期望此書的出版能提供有心的經營管理者參考與採行，共同運用在新世代工作者的團隊，創造出傑出的經營效益。

　　特以此文推薦與分享。

你的組織敏捷了嗎？

溫金豐　Jin Feng Uen

國立陽明交通大學／經營管理研究所教授兼所長

認識黑手阿一（Yves Lin）是透過鈦坦科技的 Tomas（李境展），他說看能否為阿一的新作寫推薦文。我遲疑了幾秒之後，一口答應。遲疑的原因是不知道我是否能夠做最好的推薦，而答應的原因則是可以在本書問世前，先一步可以拜讀，更多瞭解敏捷的思維與方法。

我在大學教書，主授課程是關於組織設計與管理以及策略性人才管理，所以對於企業組織的運作向來有極高的興趣；傳統組織設計的重要觀念不外乎「結構追隨策略」、組織要有效能與效率，然後要思考不同的組織情境適用於哪些型態的組織結構。這些在過去一百年來的管理學所累積的知識其實正面對很多挑戰，因為企業面對的環境正在快速改變；全球化與區域化、科技發展，以及工作者特性改變都帶來衝擊。未來企業組織將是什麼新樣貌？人在新組織中扮演哪些角色？相關的工作流程與管理制度應該如何調整？這些組織管理的特性，都在持續演化中。

「敏捷」是我觀察近二十年的組織管理趨勢中，看到的最重要新方向之一。什麼是敏捷？有些學者提及是組織能夠「有章法的、快速回應環境變化」；亦即組織如果僅強調快速回應環境，而不知「其然」（know-how），也不知「其所以然」（know-why），絕對無法有效的運作。組織若能純熟運用敏捷方法（agile method），大致可說符合 know-how 層次要求，且通常就能產生相當好的經營績效，不過要真正融會貫通，發展獨創一格、符合企業需求的組織敏捷運作，則需要更瞭解箇中邏輯與思維，這是 know-why 層次，而這正是敏捷實務中常提到的「守、破、離」演進過程。

黑手阿一這本大作，不但有敏捷方法的 know-how ，更不忘隨時提醒 know-why 的思考邏輯，尤其他融合了許多「實戰」經驗，在文中放入很多鈦坦及其他業界的例子，相信對於有志於學習敏捷觀念與方法的實務工作者非常有幫助，是一本不可多得的好書。未來我也會將其觀點與內容融入管理碩士（MBA）的專業課程之中。

　　敏捷圈的人都知道，敏捷不應僅是理論，要動手做，並持續地改善、學習及演進，才是關鍵。這或許是阿一自稱黑手的原因之一吧！期待讀者們可以透過這本書，更有效地思考如何「敏捷地」為組織進行敏捷轉型。

是什麼讓你想改變呢？ —— 台灣敏捷協會ACT

張昀煒　Hermes Chang

台灣敏捷協會理事長敏捷總舵主

「想做很重要」

這是 2014 年跟 Yves 請教如何落實帶領團隊敏捷時，他對我說的一句話。很簡單的一句話，卻充滿了支持、認同與鼓勵；而我也在同一年，正式開啟了自己的敏捷旅程，在內部實踐敏捷、成立高雄敏捷社群、舉辦敏捷之旅，成為專職的敏捷教練，引領企業敏捷轉型，2019 年第一次統籌四地敏捷之旅，在 2020 年底至 2021 年初接下台灣敏捷協會理事長，這一切都源自於兩個字——「想做」。

「是什麼讓我想做呢？」

我自己這樣問自己，敏捷是什麼深深吸引我呢？

在探索自己的過程中，看見自己一直以來對人是良善與信任的，真誠對待人，並期待被真誠對待的人生態度。現實中也是如此，當我真心面對世界時，世界也同樣的態度回應。

敏捷的價值觀「開放、勇氣、透明、信任、尊重」，剛好呼應自己的人生態度；這也是台灣敏捷社群／協會持續散發的熱情與善良，這恰恰讓我的生命與信仰得到支持與力量。

我也在探尋的過程中發現，最好的開始時間就是現在，最適合的人就是自己，最好的方式就是去做並相信自己，然後感染更多的人，這也是改變世界最

好，也是唯一的方式。

Be The Change

「Be The Change，You Want To See In The World.」聖雄甘地（Mahatma Gandhi）的這句話一直指引我的實踐態度。於是，「想做」得到了靈魂的支持並產生源源不絕的動力。

再對應回企業敏捷化的議題上，我邀請各位問回自己幾個問題：

「是什麼讓你想改變呢？」

「是什麼驅使著你的團隊持續不斷變強呢？」

「這個持續變強的動力，是根源於什麼價值觀或信念呢？」

「你的團隊已經有什麼了呢？並且敏捷的什麼是你期待的呢？」

最後再傾聽自己心的聲音與實踐，期待你也會找到屬於自己的旅程。

敏捷是利人利己的

我探尋到自己的內在動力，讓我想做，並從自身實踐開始，影響自己、一個團隊、一個組織、一群人，持續在這條道路上。並且，我相信敏捷是利人利己的，當我彎下腰用真誠的態度灌溉這片土地，人文的土壤活化了，產業的生態多元了，商業與生命得到滋養，環境變得良善了，同樣的這份良善也回饋到我自己身上，你、我、我們、我們的下一代終將得利。

「我們是敏捷思維的火炬手；我們身體力行，以最適合的方式耕耘，體會敏捷價值帶來的能量；我們相信讓世界更好的方式是聆聽內心的聲音，成為更愛自己的人。」

就去做吧

這是台灣敏捷協會在 2020 年底共創的願景，推動與引領敏捷在台灣的實踐，眾多前人與 Yves 已經在披荊斬棘無私的付出與奉獻；最難的和最重要的是跨出第一步，而我們唯一要做的是 ——「就去做啊！」

如何將你手中的牌打好

李境展　Tomas Li
新加坡商鈦坦科技總經理

Life consists not in holding good cards, but in playing those you hold well.

人生就像是一場牌局，別只在乎你是否持有好牌，重要的是如何將你手中的牌打好。

這是鈦坦科技（Titansoft Pte Ltd）在 2015 年一月年終尾牙時，Yves 送給全體夥伴尾牙紀念品上的一句哲言，是鼓勵團隊們正向地面對各種挑戰，也是他的處事哲學。亦如他的 Skype 狀態上寫著「豈能盡如人意，但求無愧於心」，都說明了他的管理思維和領導心法。

鈦坦科技是一家總部位於新加坡的軟體開發公司，致力於線上軟體平台的開發與維護，員工來自 10 多個國家，產品使用者遍佈全球，是近年來以成功實踐「敏捷式開發管理」而聞名的軟體公司，並且獲獎無數。究其背後的核心企業精神與文化，全都是因為「敏捷」。

Yves 在擔任鈦坦科技總經理（2009 - 2018）時，負責新加坡總公司和台灣分公司的經營管理。從 2014 年起，在他的主導下開始導入敏捷開發，我是當年第一批「被送去」上課的學員，也是在開始導入時「被指派」的第一位產品負責人。是的，在導入的過程中，很多時候是「被」推著往前走。我謝謝 Yves 推坑，帶著我領略這方有趣的世界。是彼此的信任，我自願跳坑；是彼此的鼓勵，讓我們面對未知領域時，有勇氣一起前行。在十多年的一起合作中，只要大方向溝通確實了，許多工作項目無需過多言語和文字的細部確認，一個眼神一個點頭，即說明了一切。團隊默契和授權的最高境界，就是這樣子

了，不是嗎？

在這本書中，Yves 大方無私的分享了他這些年來的學習心得，其中揉合了敏捷、引導、教練、薩提爾、正念、NLP……等各種方法，傾囊相授全都寫進這本書裡。同時，把和鈦坦夥伴們在工程實踐及產品管理的探索學習過程，也一併納入。平時的他，樂意和友人們分享所見所聞，周遭的朋友們也都甘願且喜悅地被受影響，接受他的觀點。他常說：「相識就是有緣，能幫一個是一個。」他會分送他看過後覺得有用的書，他會分享他讀過後覺得有啟發的文章，他認為這是可以帶來改變，讓大家一起變得更好的方法。這種無我的信念，我深受影響，分享知識種下心念的種子，一起共好的種子，我相信你也可以。

這是一本敏捷寶典，是「你的第一本敏捷實踐工具書」，讓大家認識敏捷的極致實踐，了解怎麼揉合各種組合技，讓你跟著黑手阿一手把手的成為敏捷高手。不管是正在參與敏捷開發的你、想要學習敏捷的你、或是目前正在傳統企業中打拼的你，我相信都能從這本書中有所學習。只要融會貫通，就能成就你自己的敏捷力！

最後，恭喜 Yves 在被我推坑兩年多之後，終於點頭寫書，這是他「選擇」做了一件他的第一次嘗試，亦是「臣服」於眾人的懇請，起心動念，因緣具足。新書發行，在此恭喜。「謝謝你」，我謹代表全體鈦坦夥伴們和你說聲謝謝，真心謝謝你帶著鈦坦人一起領略敏捷的萬般風情，酸甜苦鹹鮮都是滋味。現在，把這些知識分享給大眾，帶著更多的朋友們一起走進敏捷的世界裡。

推進教育新世代：教育敏捷圈

翻滾海狸工作室
Product Owner　張翼鵬
Scrum Master　楊子漠

　　第一次接觸「敏捷」，是在 2019 年冬天飄雪的北京郊區，當時翻滾海狸身為群島教育加速器的入選團隊之一，接受 AHA 社會創新學院的支持，在 ThoughtWork 導師群的陪伴下學習敏捷。「Learning by doing」是翻滾海狸與群島共同的教育理念，因此這一場學習之旅在真實情境中展開，短短三天我們和來自兩岸三地的夥伴以敏捷開發的方式，組建拓治團隊（TOTs, Team Of Teams），為當地農場提案解決問題，徹底地體驗了「快交付、短迭代、用戶協作」。記得當時，我們幾位夥伴晶亮著眼互望，心裡想著同一件事：「原來這就是敏捷！」

　　在此之前，翻滾海狸工作室作為一個教育創新團隊，相信要促成教育轉型，不只是學習知能（content）的更新，學習方法（context）也需要迭代。提倡思維教育的海狸認為，語文學習除了發展讀寫的認知策略外，更需藉由讀寫來發展學習者的「元認知」（metacognition），也就是透過文本的解構與建構，讓學習者後設觀察自身的思考，從而刻意練習。

　　既然將閱讀與寫作視作是一場可以修磨的思維工程，那麼，自然也需要有對應的運作模式。2015 年推出讀寫工作坊時，翻滾海狸同時發展出獨特的共學分組模式，組內有檢視成果的工頭、推動期程的工管以及執行項目的工人。學習者在分組實作中快速交付、以共同原則交互檢驗、得到反饋再進行二次實作，並觀察自身思考以及協作流程的質性變化。這種根源於經驗主義（empirical）的操作，迥異於一般停留在認知層次的學習，而竟與敏捷的精神不謀而合！是以 2019 年冬天，我們的興奮不僅在於學到敏捷，還在於找到

一組能定位自己的語彙：「原來，就是敏捷！」

回台灣後，我們迫不及待地將「教育敏捷圈」的實踐運行在自己的組織上，用看板（kanban）可視化工作流、以估點（point）探求團隊速度、時間盒（timeboxed）內排定優先級開發、做最小原型（MVP）用戶調研……；本於教育轉型的理念，籌辦線上教師社群「貍想教育創新學院」，帶著有志加入的夥伴一起創變，在學院中再將敏捷融入對學生的課程，把課堂上的每一次實作視為一個衝刺期（sprint），明訂要交付的任務（task），切分協作角色（role），不只產出學習成果（output），也讓每個人的學習反思（lesson learned）形成歷程。

而轉型並非一蹴可幾，每一步摸索也都有著新的疑惑，除了跟夥伴們在不斷復盤（retrospective）中精進，臺灣敏捷界幾位重要推手的文章，可說是當時的養料。這其中，黑手阿一 Yves 文字成了我們的心頭好。他提供切身經驗，真誠不藏私；出入各家思想，用語卻又淺顯可親，比如一篇用法家、道家談瀑布式開發以及敏捷式開發的文字，短短 200 字能道盡其中精髓；他又善於巧妙引喻取譬，總是先說一個令人莞爾的小故事，遠遠從他處談起，待到敏捷實例、步驟、心法講完，開頭那故事反成了一記棒喝發人深省，讀來饒有禪宗公案開悟的深趣，讓人恍然：「原來敏捷是這樣！」

2020 年 10 月，因緣際會踏入鈦坦科技的辦公室，認識了 Yves。人如其文，談笑晏晏中，感受到他雜學旁收像個導師，卻又坦率愛玩一如孩童。短短半年間，我們將這本有著海量實例與地道解釋的敏捷書籍付諸出版，期間更由於作者待人以誠，交遊廣闊，邀集到眾多願意為本書提供實踐心得的朋友，原訂單冊的內容，竟也擴增到兩冊之多，成就一本集臺灣各界敏捷實踐大全的實戰指南，交織了臺灣的敏捷網絡，同時見證敏捷好友成全美事的熱情。

許多人認為敏捷源於軟體工程，自然是專屬於科技業的開發方法，其實只要把握核心思維，各行各業無處不是敏捷。以教育創新領域而言，2019年WISE 世界教育創新峰會發表報告，呼求在 V.U.C.A. 時代裡，尤其需要「培養學習的敏捷領導者」。而「有意義的教育」創辦人 Steve Peha 在推動教育重構時，更曾大膽地假設「敏捷，將會為教育改革的復生提供能量」。可以說，敏捷的本質「快速地響應變化」，正好能應對未來世代自主學習的需求。因此，翻滾海狸企盼透過本書的出版，號召更多教育工作者，形成在教學、班級經營、學校行政的運用，組成屬於我們的拓治系統（Team Of Teams），讓更多人響應：推進教育轉型的第一步「原來就從敏捷開始」！

官方網站　　Facebook

麻辣兔頭的啟示

2016 年 11 月的敏捷圈舉辦了聚餐，當時我屁股都還沒坐熱，Joseph Yao 就拿出一包東西說：「Daniel Teng 送您的。」我心裡正感動喚醒者聯盟的 Daniel 雖然人不在台灣，卻還特地送禮物來。在我眼淚快掉下來時，Joseph 說了一句：「這是四川來的麻辣兔頭。」敏捷引水人 John Yu 還加上一句話：「這是做自省會議（Retrospective）的好工具！」

我心裡嘀咕：「說得那麼好聽，您們今天上整天課都沒吃完，還有一大袋，其中必有詐！」

雖然我沒吃過，聽到一包「兔頭」，我心中也是毛毛的，但輸人不輸陣，反正公司那麼多人，一人吃一顆就解決了，所以我還是把 Daniel 遠端捎來的大禮帶走了。到回家後，我端詳一下裡面的包裝，竟然有四大包，每包兩個手掌大！然而想打開看看，我卻又沒有勇氣，越想越恐怖，只好整包直接塞到冰箱裡。當下耳邊還聽到老婆說：「這麼可怕的東西，明天不要留在這裡！」

隔天我把兔頭帶到公司，打開前我還蠻害怕的，幸好有勇敢的 Candice Yu 陪我一起開。開了以後一看：比我想像中小顆，也沒那麼可怕。但一群人圍著兔頭取暖，大眼瞪兔眼，就是沒有人敢吃。剛好敏捷教練 Edge Hou 走過，看了一眼，說了句「嚐一下。」後就大膽地嘗試了。看到 Edge 開始吃，我也拿起一顆試試。

結果味道竟然還不錯！香噴噴的麻辣味，像鴨肉但滑膩不柴，吃完一個又接著一個。托 Daniel 的福，大伙享用了一頓香噴噴的麻辣兔頭派對。

這次兔頭派對的經驗，跟我在導入敏捷過程中的心得是很類似的：

1.未知比現實可怕，與其自己嚇自己，不如打開包裝面對現實。敏捷和 Scrum 的透明化（Transparency），都是在幫助我們定期地打開包裝面對現實，在現實中逐步往我們理想中的狀態前進。

2.人多膽大，要衝還是要一群人一起衝。我覺得敏捷以團隊為核心的工作模式，幫助了團隊的向心力和溝通，讓一群人可以很開心又合作地往前推進。

3.嘗試兔頭都要那麼大的勇氣了，那平常要改變突破自己的舒適圈需要的勇氣更是巨大，當然要靠伙伴一起扶持打氣啊！在敏捷旅程中遇到的引導、教練、薩提爾等等工具和技術，有效地幫助團隊產生信任感，建立心理安全感，充滿勇氣去面對未知的挑戰。

世事豈能盡如人意，只求無愧於心。

我們能做的，就是把手上拿到的牌好好打好，把組織的戰役好好打好，讓這場人生的遊戲圓滿玩好。

如果您心中對工作或生活有許多的不滿與挫折，或是對工作或生活有著可以更好的期待，再者是對人生有深深的渴望，經由閱讀這本書，或許您能找到答案或是方向。如何在工作和生活中順利求生，進而使得工作不再只是一份工作，而是一個讓我們人生更有意義、更精彩、更豐盛的機會，讓自己因選擇而自由。有成長則自在，誠心邀請您一同踏上敏捷的旅程。

本書一共分成九個章節，章節之間沒有先後順序，可以隨意挑選自己有興趣的章節開始閱讀。

如果您正在猶豫是否要導入敏捷方法到工作中，也許第一章〈戰情分析〉和第二章〈預期戰果〉，可以幫助您瞭解敏捷的背景因素和能帶來的益處，而第八章的〈實戰報告〉有許多敏捷先行者的心得分享可以參考。

如果您是剛剛開始接觸敏捷，第三章〈基礎戰技〉中會提供 Scrum 和看板的實際做法。讓你紮穩敏捷馬步，奠基敏捷心法。

如果您已經運行過敏捷並有心得，可以從第四章〈團隊戰術〉或第六章〈戰況討論〉中開始，參考比較我們彼此做法和心得的得失。如果您敏捷運作得很順暢，請讓我先恭喜您的成功，也許第五章〈全局戰略〉和第七章〈選配裝備〉，能夠讓您看到更多的風景和可能性，讓團隊往更好的方向推進。

一、戰情分析：為什麼我們需要敏捷
二、預期戰果：敏捷能帶來什麼
三、基礎戰技：敏捷有哪些內容
四、團隊戰術：如何更加享受敏捷旅程
五、全局戰略：如何運用專案管理讓敏捷更好
六、戰況討論：敏捷經驗答客問
七、選配裝備：如何讓敏捷旅程更加豐盛
八、實戰報告：那些年一起走過的敏捷路
九、進入戰場：期待您敏捷之旅的心得

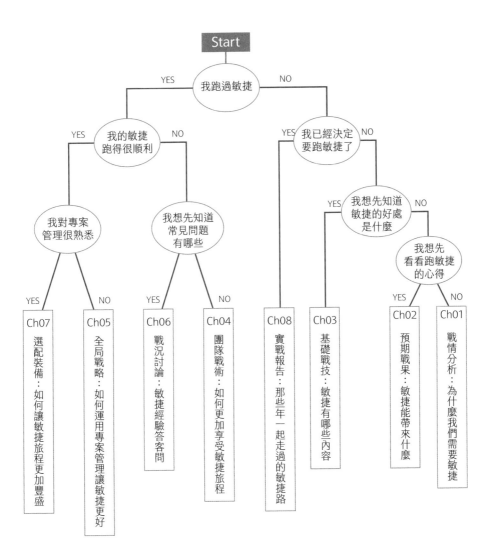

黑手阿一（林裕丞 Yves）

　　有軟體產業十多年經驗，經歷了從工程師到專案經理，部門經理到總經理的過程。原本以為軟體開發的宿命就是爆肝、底累、修罷、賣雞排。接觸敏捷後，才發現其實還有不同的可能性。好讀書不求甚解，特別喜歡歷史、地理、心理學，近期著重在於組織行為與團體動力。

　　因參與了新加坡商鈦坦科技企業敏捷轉型的旅程，在一路上的變革中，領悟到敏捷是幫助組織面對多變環境的有效方法，也學習到有效的溝通能促進組織的成長。現職為教練、講師與企業顧問，期許自己能把一路上學習到的團隊協作、會議引導、敏捷組織等等能力，散佈到想讓團隊更好、工作更開心、生活更有趣、組織更有效的所有地方。

顧問理念：有伴有趣；個人有伴不孤單，企業有趣不無聊
教練理念：自由自在；因選擇而自由，有成長則自在
教學理念：一起溝通，輕易打開我的心
個人理念：隨外境緣、隨他人便、隨自心性

氣機科技總經理（2020 - ）
台灣敏捷協會理事長（2018 - 2020）
新加坡商鈦坦科技總經理（2009 - 2018）
國際專案管理師（PMP）
敏捷專案管理師（PMI - ACP）
認證 Scrum Master（CSM）
認證 Scrum 產品負責人（CSPO）
《原來你才是絆腳石：企業敏捷轉型失敗都是因為領導者，你做對了嗎？》譯者
更多的心路歷程請參考——第九章〈進入戰場：期待您敏捷之旅的心得〉

個人網站
www.yveslin.com

粉絲專頁
黑手阿一黑白共

Chapter. 1
戰情分析

為什麼我們需要敏捷

1

往烏托邦前進──理想主義 VS. 保守主義的檢測

敏捷是改革，不是革命，革命是要殺頭的

有一句話是這麼說的：「計劃趕不上變化，變化趕不上老闆一句話。敏捷的興起，就是為了因應環境和老闆的變化。」

在開始討論敏捷式管理的具體內容之前，我有個問題想先釐清：敏捷（Agile）到底是理想主義還是保守主義？

且讓我們藉《羅輯思維》羅振宇談《右派為什麼這麼橫》一書提到的題目來自我檢測一下，看看自己究竟是理想主義（左派）還是保守主義（右派）吧！

Q1 您對人類知識的看法是：

（1）建構社會就如同蓋一棟房子，只要我們充分利用理性和知識，就能設計出完美的社會和系統。

（2）建構社會就如同大樹的生長過程，理性和知識是有局限性而且渺小的，我們只能慢慢摸索和發展。

Q2 您對「進步」的看法是：

（1）我們要靠大幅度的變動，脫離老舊且紊亂的秩序，這樣最有可能將我們帶往進步。

（2）我們要靠小幅度的移動，在既有基礎上慢慢改善，這樣最有可能將我們帶往進步。

Q3 您對自己遭遇到挫折與失敗的看法是：

（1）我們需要更多外在的支援，因為環境的影響比自己的能力重要。

（2）我們需要改善自己的能力，因為自身的影響遠比外在因素重要。

如果以上三題，您的答案都是（1），那麼您的想法便是偏向理想主義，也就是左派；相反地，若您的答案是（2），則是偏向保守主義，也就是右派。

回到主題，「敏捷」的思想到底是理想主義還是保守主義呢？我個人的第一印象是理想主義。因為這樣一個各取所需、各獻所長、不分先後、協力完成工作的大同世界，也太理想化了吧！

但是看完《羅輯思維》談《豐滿理想下的殘酷殺戮》這本書，我才了解：理想主義跟保守主義的主要差異並不在於最後所想要的狀態有所差別，而是在於過程做法的不同而已。

理想主義的理念是：只要打破現狀就能達到理想，只要訂下規則或法律就可以對社會造成改變，相信人設計出的制度。至於保守主義，則是不做大規模改變，以現實為依歸，慢慢向理想狀態改變，比起人設計出來的制度，更相信經驗法則。

這是我原本的想法。那如果用敏捷的角度來看待又會是怎麼樣呢？

（Q1）中對「人類知識」看法的兩個敘述，其實就是「建構論」與「擴展論」：

 建構社會就如同蓋一棟房子，只要我們充分利用理性和知識，就能設計出完美的社會和系統。

 建構社會就如同大樹的生長過程，理性和知識是有局限性而且渺小的，我們只能慢慢摸索和發展。

敏捷是擴展論，因為承認我們沒辦法知道行動會造成什麼影響，所以才需要用快速迭代的方式來面對，以求知道反饋後再快速決定下一步。建構論的想法，則是追求充分想好再行動，這跟敏捷的信念是截然不同的。

　　（Q2）中對「進步」看法的兩個敘述，其實是「革命論」與「改革論」：

 我們要靠大幅度的變動，脫離老舊且紊亂的秩序，這樣最有可能將我們帶往進步。

 我們要靠小幅度的變動，在既有基礎上慢慢改善，這樣最有可能將我們帶往進步。

　　敏捷是改革論，靠快速迭代後的反饋，以求每次進步一點，是小幅度改變，而不是如革命論那般，一次做大幅度的改變。

　　（Q3）中對「遭遇到挫折與失敗」的兩個看法，分別是「弱者思維」與「強者思維」：

 我們需要更多外在的支援，因為環境的影響比自己的能力重要。怪外界，要外界改變，怕失去現有東西。

 我們需要改善自己的能力，因為自身的影響比外在因素重要。怪自己，要自己改變，怕被現有東西限制。

敏捷靠對著經驗的回顧與省思並要求自身的改善，如〈敏捷宣言〉說的：「團隊定期自省如何更有效率，並據之適當地調整與修正自己的行為。」這當中強調的是「自己」的行為，而不是「其他人」的行為——這是道道地地的強者思維。

　　此外，更重要的是：經驗性導向（Empirical）是敏捷的核心概念。所以，在細細分析後，意外地發現，「敏捷」其實是保守主義。

　　是的，導入敏捷靠的不是大規模的改變，反而是需要以現實為依歸，慢慢向理想狀態改變；比起仰賴理性設計出來的制度，我們更相信經驗所帶給我們啟發。

　　因此，我們可以在以保守主義為基礎的運作下，一起打造我們心中的理想團隊。

敏捷夥伴迴響

" 謝宇璽 See　你生命有限公司 podcaster

　　生命有限，就是要嘗試自己喜歡，能散發熱情的事，且能快速地反應成果，讓明天的自己比昨天更好，那我們就在敏捷的路上。敏捷不是只有工程師或科技公司適用，是任何職位與人生都值得嘗試的方法。"

2 面對現實的態度

「吃下藍色的藥丸，故事就此完結，您會在家裡的床上醒來，繼續相信您所想要相信的。吃下紅色的藥丸，您就可以待在愛麗絲夢遊仙境裡頭，我會帶您看看兔子洞有多深。」電影《駭客任務》（The Matrix）中的神秘人物莫菲斯（Morpheus）提供尼歐（Neo）這兩個選項，讓他自己選擇接下來的人生走向。

當尼歐伸手去拿紅色藥丸時，莫菲斯又說：「請記得，我能給您的只有真實，沒有其他的了。」

就跟吃下去就能夠看到真實的紅藥丸一樣，敏捷會讓我們看到真實的工作情況，不管這個真實我們喜不喜歡。

很多人問我：「您的公司運營已經很好了呀，為什麼要導入敏捷式管理呢？」

我的回答是：「我們選擇導入敏捷式管理，是因為傳統作法已經不符合現在的市場環境，我們是為了存活而不得不做。更進一步來說，導入敏捷式管理其實是改變『態度』，是培養一種面對現實、接受限制、處理現狀、放下過去的態度，並不是全面性的改革。」

而現在的市場環境有什麼重大改變嗎？

當然有，且正是因為變化太大，所以我們必須認清幾個現實：

（1）面對事情做不完的現實
——事情是做不完的，但身體是有極限的。

在傳統的公司中，很多的事情都是死命令，即所有的事情項目都很重要，而且皆要限期完成，所以員工常常爆肝、爆肝再爆肝。

但如果爆肝就可以把事情解決，那也就算了，很可惜事實往往相反，爆肝的結果通常是——產品品質低落，且錯誤一堆，甚至之後還要花更多時間心力善後。

所以敏捷式管理是要改變這樣的模式，其概念是：把事情排出優先順序，從最有價值的部分開始進行，並捨棄低價值的工作。

如此，事情才能更有效率地進行。

（2）面對資訊不足的現實
——第一線人員直接面對問題，但事情的決定權在高層手上。

傳統的管理思維，是「只請手不請腦」、「官大學問大」，整體來說就是「上司說什麼，下屬照做就好」，也因此最後的抉擇總是少了第一線資訊的參與。然而這樣的後果往往是打高空——空有好的意圖，卻不切實際，所以結果大致都是「上有政策，下有對策」地敷衍了事。

而在敏捷式管理的概念中，相信第一線的夥伴才有第一手的資訊，所以應該由最了解情況的前線夥伴來做決定。

如此一來，公司就會有比較大的機會做出最貼近市場需求、讓消費者願意買單的產品和服務。

（3）面對競爭激烈的現實
——環境變化太快，但決策者反應太慢。

在舊有的觀念中，產品開發的流程比較像這樣：一年準備，兩年反攻，三年掃蕩，五年成功。

這樣的方式，在對手也是同樣思維時或許可行；但現在的市場變動大，有時我們連對手在哪裡都不知道。若只一味做長期的詳細計劃，不僅失去捷足先登的機會，產品結果還可能大多是做來自我滿足的居多。

因此，敏捷式管理用「快速迭代」的方式，在最短時間內，產出最小可行的產品（MVP，Minimum Viable Product）並放到市場上，得到消費者的反應後，立刻進行下一步的改善。

只說道理沒有舉例很沒說服力，但講小的例子又沒什麼意思，來說個大的案例吧。

在 2001 年，美國發生 911 恐怖攻擊事件後，FBI 開啟了「哨兵專案」（Sentinel）——把所有的內部流程E化、資訊化。

一開始，FBI 的預算是 1.7 億美金（約50億台幣），並由全球軍工百強之一——美國科學應用國際公司（SAIC，Science Applications International Corporation）得標。但讓我們把時間快轉到 2006 年，會發現：五年過了，SAIC 公司不但做不出系統，預算還一度追加到了 6 億美金（180 億台幣）。

這時，FBI 的想法很簡單——這個包商不行，就換另一個，於是系統換成美國航空航太製造廠商洛克希德來做。我們再把時間快轉四年，來到 2010 年，系統仍然沒有完成，此時政府再追加了 4 億美金

（120 億台幣）。

這下問題來了：兩個包商都完成不了的案子，還有誰敢接這個爛攤子？

於是 FBI 只好找雷曼兄弟控股公司的技術長 —— Chad Fulgham 來當 CIO（Chief Information Officer）。Fuldham 把系統研發權從洛克希德手上拿回來，交由 FBI 內部自行開發，並且使用敏捷的方法：以 Scrum 方式、兩個禮拜為一個短衝（Sprint）來行動。

終於，哨兵系統在 2012 年驗收並上線。

使用敏捷方法，讓 FBI 可以用兩年時間與 120 億台幣，就完成別人花九年與 300 億台幣都解決不了的資訊專案。

若用開發時間來比較，可以發現：敏捷方法節省了 80% 的時間，也省了 60% 的預算。

這個故事告訴我們：
1. 政府追加預算很正常，到哪裡都一樣。
2. 軟體資訊系統外包通常沒什麼好下場。
   （畢竟資訊是企業最重要的命脈，若連軟體開發都要外包，那更不用談企業的核心價值了。）
3. 敏捷方法有效。

> **光看著別人的成功，是一毛錢都分不到的，自己創造的成功才有價值**

有很多人會一直跟我要敏捷方法的案例，但案例都是別人的成功啊！光看別人成功的例子，您是不會分到一毛錢的。

所以，不面對現實，活在自己的想像中，也許會過得比較輕鬆愉快；然而選擇面對現實，持續成長和改變，也許充滿壓力和挫折，但可以提高存活的機率。

能存活下來，才能自由地選擇自己想要的生活方式。

敏捷夥伴迴響

賴志強　四零四科技軟體部門經理、達真人本關懷協會理事

在軟體界翻滾了 20 年，接過大大小小的專案，有一次，在公司協助 Coach 同仁的過程中，有一位同事，他遇到的團隊跑 Scrum 的方式，和他理解不同，他認為那是錯的，和他過去的團隊方法不同，因而造成心中的苦惱。這讓我思考既然是敏捷，就「應該」沒有「應該」這回事吧？敏捷到底是方法還是精神？

未認識敏捷之前，心中常常會有一個問題：「好的軟體專案該如何進行？」但似乎不存在這個答案，也查過坊間各式各樣的方法與理論，看似有道理，但真的適合現在的團隊嗎？在看到 Yves 用有趣的故事、豐富的個人經驗與幽默的表達，並舉出各式各樣血淋淋例子，心中忽然浮現「夫子言之，於我心有戚戚焉」，這就是身為軟體人每天都在面臨的問題，沒有最好的答案，因為世界每天都在變，最重要的就是要透過不停地反思與學習，持續改善，來適應新的變化。

3 走向人人管理的組織演變

有實質幫助到蜜蜂，才能問心無愧地分蜂蜜

選擇讓組織走向「敏捷」是什麼意思呢？

許多人會說，那就是讓組織變「快」，這樣的概念也許在某些情境下是對的，但在您自身的情境中，「快」，是最需要的嗎？

讓我們先從一則笑話來重新思考「管理」這回事——

很久很久以前，有個養蜂人養了一群蜜蜂，每幾天就採些蜂蜜來賣，日子過得還算輕鬆愜意。

有一天，有個管理顧問經過，他看著飛來飛去的蜜蜂，問了養蜂人一句：

「您怎麼知道蜜蜂都有在努力工作，沒有偷懶呢？」

養蜂人愣了下後回答：「我沒有想過這個問題。」

養蜂人有點心虛地問：「要怎麼知道蜜蜂有努力工作呢？」

「這還不簡單？」管理顧問自信滿滿地說道：「您就請一個人來看蜜蜂，由他來管理蜜蜂，蜜蜂就不敢偷懶了。我們在企業都是這麼做的，非常有效。而且有個專門的職稱叫『Team Leader』，也就是『組長』。」

「說得有道理……」養蜂人低頭沉思了一會：「那如果看蜜蜂的人偷懶，我要怎麼辦？」

「沒想到您還蠻有管理概念的嘛！」管理顧問用充滿激賞的眼神看著養蜂人：「您就再請一個人，看著『看蜜蜂的人』有沒有專心看蜜蜂啊。這工作也有個專有名詞，叫『Manager』，也就是『經理』。」

　　「這樣就夠了嗎？」養蜂人露出恍然大悟的表情。

　　「當然不夠啊！您還要有人看著『看著看蜜蜂的人』，很重要的！他叫做『總監』；還要有看著『看著看著看蜜蜂工作的人』，他叫『副總』。這還不夠，還要加上看著『看著看著看著看蜜蜂工作的人』，這個人非常重要，叫做『總經理』。別忘了，還有看著『看著看著看著看著看蜜蜂工作的人』，他……」

　　「等等！」養蜂人打斷說得口沫橫飛的企管顧問。

　　「就算我請完全部的人，要怎麼確認最後一個會認真工作，不會偷懶呢？」

　　「您果然有是個人才，一問就問到重點，您一定會成為蜂蜜界的紅人！」管理顧問滿意的說。

　　「找我來就對了，我會跟您說他們有沒有在偷懶。」

這樣的故事還真不少，在台灣也有另個版本，叫做〈螞蟻的故事〉，有興趣的朋友可以自己查找看看。

在這個故事中，我們可以看見「管理」被妖魔化了。但當管理者越多，卻越失能的時候，我們的確該想想這樣是不是哪裡出了問題？要怎麼樣才能真正有用呢？而我的答案是──讓組織擁有更多管理者。

我們需要的是更多管理者

1911年，科學管理之父泰勒（F.W.Taylor）出版《科學管理原則》一書，書中把人分為管理者與工作者，在那個工業世代的背景下，他認為管理者有工作者缺少的知識與能力，所以該由管理者一個指令，工作者一個動作來完成事情。

甚至連當時被視為進步人士亨利‧福特（Henry Ford）也曾說過：「為什麼我只是請雙手來工作，他們卻把腦子也帶來了？」雖然這一番發言在現今看來會令人大翻白眼，但其原因都可以追溯到當時的歷史背景。

1900 年的美國，5 到 19 歲的人口中，只有一半的人有受過基礎教育，大部分人都沒有受過現代化的教育、沒有物理或化學的知識，文盲的比例很高；緣此，工廠的生產只能由受過高等教育的管理者研究要怎麼做，所以工廠的運作方式即是「有頭腦的人跟出手的人說要做什麼，出手的人照做就對了，不需要想」。

但現在的情況已經跟 100 年前不一樣了，大部分的人都受過教育，然而奇怪的是──傳統的管理模式並沒有太多改變。

那我為什麼說要多點管理者呢？

請容我說得準確一點——我們需要越來越少「管理人」的管理者，但需要越來越多能「自我管理」的管理者，甚至「管理」將會成為每個工作者的必修功課。

現代管理學之父彼得‧杜拉克（Peter Drucker）對管理者的定義是：

一個管理者要對知識的應用和成效負責。
A manager is responsible for the application and performance of knowledge.

知識工作者都是管理者

換言之，所謂的「管理者」指的並不是「握有預算與人事權的職務」，而是「知曉如何運用知識，改善流程與應用工具的人」。

我在新加坡商鈦坦科技服務的時候，想像不到公司內有任何工作是不需要吸收知識、不用應用知識、也不需要對成果負責的職務。（如果貴公司有不需要知識的工作，卻還能在台灣生存的話也很厲害。）所以，公司裡的所有成員都需要學習知識、應用知識、也都需要具備管理者的能力。

在過去的經驗，儘管很多鈦坦科技的夥伴都已經取得 PMP 證照，並嘗試以此改善傳統專案管理的方式。但專案還是永遠趕不上進度，不僅客戶不滿意我們的產出速度，更別提產品上線後衍生的一堆問題，甚至很多夥伴為了趕出產品而累翻，造成主管因為怕收到離職信所以整天都在救火。

另外，也有夥伴嘗試過應用標準化企業管理的制度，導入教育訓練、KPI、績效考核、定期開會等，這對執行制式化操作為主的部門確實有幫助，

如 IT 和管理部門都可以明顯感受到效率的提升。但這一套對於面對市場做產品開發的部門而言，仍是看不到改善的效果。

所以，鈦坦科技導入敏捷的原因最初是「死馬當活馬醫」，在 2014 年我們開始找顧問、讓團隊嘗試跑敏捷、招募志願的夥伴，然後放手讓敏捷顧問全權掌控，讓這個新成立的團隊不受公司守則跟程序的限制去探索，也才有後續鈦坦科技敏捷化的成果。

這幾年來，我最常被問到「為什麼要導入敏捷？」我的答案很簡單——「我們開始導入敏捷，是因為用原本的方法看不到未來。」

每一種管理模式都有其適用的情境，在這個越來越複雜的時代，指望一位厲害的管理者出現就能夠讓公司一切順利，就跟期待一位明君出現天下就會太平的心態是一樣無望的，只有每個人都瞭解並實踐管理，走向「人人管理」的敏捷，才是讓未來不一樣的關鍵。

敏捷夥伴迴響

> 陳致瑋　納帝思／聯聖　致鼎管顧集團 CEO
>
> 在這個快速變化的時代，「管理」的概念也跟著跟著時代一起進步。
>
> 合適現代產業環境的管理並不是依循古典的思維，必須要有一個人去管理另外一個人，而是越來越順應現代的觀念，企業的當責跟自主管理的思維才是現在的主流。

讓每一個人對自己的工作負責，這是現代管理者應該具有的認知。管理者的角色不再是人管人，而是透過導用更有效率的系統思維，將合適的人放在對的位置上，並確保每一個人能夠在他們的角色扮演上，貢獻自己的專長，促進整體的最佳表現。

這就是敏捷思維 Agile Concept 的風格。

過往，敏捷的開發模式常見於軟體開發專案中的應用。當然，不會只有軟體開發才適用敏捷思維，而是任何事情都可以。

Be Adaptive , Be Responsive.

敏捷思維，在變中求進，在快中求效。

變，是應變，一如戰場中的情勢瞬息萬變，指揮官不可能要求自己什麼都要知道，什麼都要控制，什麼都要等指揮官下達指令。

因此敏捷型態 Agile 的專案管理模式，打破的傳統鏈結式的指揮體系，充分的採用授權架構，信任每一組員的專業能力，讓大家在最短的時間，透過群組討論快速反應找到最適合的問題解決方法，其中也包含了融入目標管理 OKR 的精神，讓每一個人當責的將問題解決，並確保不會有後座力發生。

導入敏捷的目的是總指揮官的工作轉變成為整合者、溝通協調、團隊的教練，方向很清楚就是使命必達，並且想辦法整合資源，引入資源，將問題解決。

Chapter.2
預期戰果

敏捷能帶來什麼

「敏捷」到底是什麼呢？

參酌維基百科，大概的解釋是這樣的：「敏捷軟體開發」（Agile software development），簡稱「敏捷開發」，是從 1990 年代開始用以應對快速變化的需求，所產生出來的一種軟體開發能力。

相較於傳統公司運作，敏捷更強調團隊成員與業務專家之間的合作、溝通、產品更新並能自我組織。

因為敏捷開發在資訊部門與科技公司的成功，進而從原本在技術部門的工作方法，演變成為全公司敏捷化的敏捷式管理。

「敏捷」（Agile）一詞源於一次敏捷聯盟的聚會。此聚會中，敏捷方法發起者和實踐者一致同意某些價值觀，並對此共同起草〈敏捷軟體開發宣言〉（Manifesto for agile software development，以下簡稱〈敏捷宣言〉）。其中，有幾個概念被特別強調：

Individuals and interactions over processes and tools.
　　個人與互動　重於　流程與工具
Working software over comprehensive documentation.
　　可用的軟體　重於　詳盡的文件
Customer collaboration over contract negotiation.
　　與客戶合作　重於　合約協商
Responding to change over following a plan.
　　回應變化　重於　遵循計劃

「敏捷」一詞一般往往被誤會，誤以為「敏捷」指的就是「快」。但到底是什麼「快」呢？為什麼要「快」呢？「快」是為了什麼？「快」就一定好嗎？

如果「快」是實行敏捷的重點，甚至是唯一的原因，那麼在〈敏捷宣言〉中，為什麼都沒提到「快」這個字呢？

從〈敏捷宣言〉中可以發現：跟「快」比較有關係的，只有最後一句「回應變化」的部分。而回應變化代表的是彈性，是高適應力。可見得「快」也許是一種適應環境、回應變化的方式，但絕對不是唯一的方式。

舉例來說，在缺氧的環境中，動作快的動物往往較快死亡；相反地，反應慢的動物因新陳代謝慢，耗氧量低，反而比較容易存活。

所以，回應變化代表的是：該快的時候要快得像獵豹，該慢的時候則要慢得像蝸牛；該硬的時候就要挺身而出，該軟的時候則要柔心弱骨。

我接觸敏捷前對敏捷的第一印象也是快，一開始認為敏捷是提升產出的速度，而且最好能比以前快上三四倍。接著我在實務上的體會是：「敏捷是為了增加彈性，不是求快。」（For flexibility not speed）最後，我才了解到：敏捷最大的好處是在高度不確定的環境中提升適應性（Adaptation）。

換言之，敏捷的最大作用，就是提升「團隊的適應性」。一個敏捷團隊，會透過「快速迭代（Iteration）」的方式，於短時間內產出成品並持續追求進步，且在一步步的修正中，達到提升適應性的效果，最後的目標則是建立起一個「學習型組織」（Learning organization）。

而這要怎麼做到呢？

接下來這個章節將會分成「自組織」、「透明化」、「顧客導向」、「持續學習」、「逐步精進」五個面向來說明。

1 自組織

想做什麼就做什麼叫做獨立，不叫自組織

自組織團隊是一個很抽象的概念，主要的特徵是描述一個團隊中沒有一個專職發號司令的主管，而是由團隊成員之間互相協調運作。比如電影《魔戒》（The Lord of the Rings）中對抗邪魔索倫（Sauron）的團隊，他們沒有一個明確的領導者，但擁有共同的目標，自願選擇加入這個團隊，靠著彼此的默契，視情況一起運作或是分組分頭進行，我認為這便是一個自組織團隊很好的展現。

正如〈敏捷宣言〉的原則中提到的：「最佳的架構、需求與設計皆來自於能自我組織的團隊。」「自我組織」（Self-Organizing），或簡稱「自組織」，在2020版本的《Scrum 指南（Scrum Guide）》則稱為「自主管理」（Self-Managing），這在敏捷中是個常被提到的關鍵字。

我個人比較喜歡自組織的說法，然而在《Scrum 指南》上並沒有針對自組織做出明確的定義，因此我只好再度參考維基百科對自組織的解釋：

「自我組織，也稱自組織，是一系統內部組織化的過程，通常是一開放系統，在沒有外部來源引導或管理之下會自行增加其複雜性。自組織是從最初的無序系統中各部分之間的局部相互作用，產生某種全局有序或協調形式的一種過程。這種過程是自發產生的，它不由任何中介或系統內部或外部的子系統所

主導或控制。」

參考以上敘述後，應用於敏捷式管理，我對自組織有自己的解讀：自組織是為了達到群體的目標（以服務或產品的形式提供顧客價值），由每個團隊內部或個人發動，所產生的協調和行動。

自組織不是有無、而是多寡的問題

現實中的每個團隊或多或少都有自發產生的行動，因此自組織並不是一個截然二分的概念，比如這個團隊有自組織或是沒有自組織；相反地，它是「量」的概念，例如權限大的團隊自然比權限小的團隊更能自組織。

Ｑ 自組織的量要怎麼衡量呢？

《領導團隊》（Leading Teams）一書中提到「權限矩陣」這個概念，是指把權限和團隊的自我管理能力分成四種等級，分別是「主管主導」、「自主管理」、「自主設計」、「自主治理」。

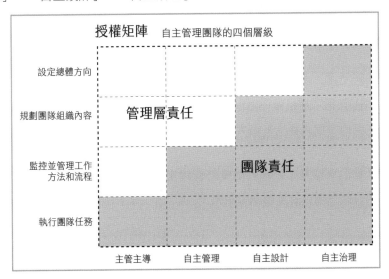

「主管主導」就是傳統命令與控制型的管理方式，由主管來決定大小事。「自主管理」則是團隊可以自行決定如何完成交辦任務。如果一個團隊可以自行決定成員，但不能決定自己的工作事項，這就達到了部分的「自主設計」。「自主治理」則是團隊的目標可以自行決定，就像個獨立的公司一樣。

Ｑ　Scrum 到底要求什麼程度的自組織？

　　就 Scrum 定義來看，我認為開發團隊是要求在至少「自主管理」的程度。

　　因為團隊不但需要自行決定如何工作，還定期舉辦自省會議（Retrospective）以改善目前的做法，這裡頭包含了「執行」和「監督與管理」的權限。但就整體的團隊工作而言還是由產品負責人（Product Owner）排序，所以並不包含「自主設計」。

　　然而如果把產品負責人算入團隊中，那整個團隊就會提升到「自主設計」的程度，因為團隊擁有決定工作優先順序的權限。不過，這並不算完全的「自主治理」，除非團隊可以自行決定人員的組成或取得團隊外的資源。

Ｑ　自組織就是團隊隨心所欲？

　　子曰：「從心所欲，不踰矩。」對我來說，「矩」就是「取得的授權」。所以自組織當然不是想做什麼做什麼，而是團隊要校準（Align）共同目標。這其中主管的授權其實具有很大的影響力。

　　很常見的爭議是：執行團隊覺得管理層級管太多──既然 Scrum 是自組織，強調自我管理，那幹嘛還管我們？

當然，如果團隊要求的是「自主管理」這個階段的權限，按照 Scrum 的定義，如果連決定如何執行（如要拿多少工作項目）及如何改善工作模式（如 SOP 標準流程設計）的權限都不給團隊，就不要說自己在跑 Scrum 啦！

而如果團隊要求的是「自主管理」外的權限，比如想要自行加程序員、鼓勵師，或是要自行選擇團隊成員，主管的「管」是應該的。這部分，Scrum 就沒辦法幫忙背書了，因為這時需要靠的是團隊之前的表現與主管的信任度，藉此來商量增加權限的可能性。

反過來說，權限帶來的不僅僅是權力，也包含相應的責任。如果團隊擁有「監督與管理」的權限，卻沒有扛起相對應的責任（比如開了十次自省會議，但是待改善事項都沒變），那權限被收回去也是可預見的結果吧。

所以，自組織不是誰說了算，而是校準公司的共同目標（帶給顧客價值），靠主管和團隊雙方互相溝通、清楚了解：團隊有哪些權限，以及團隊所擔負責任的程度和限制是什麼。

更重要的是，自組織不但讓團隊獲得權力，也需負起責任，只拿好處卻不負責任是稱不上自組織的！

在傳統的專案開發中，都有一個角色負責分配工作，這常常是由 PM（Project Manager，專案經理）或是 Team Leader（組長）來擔任。然而，分配工作可說是吃力不討好的一件事，因為既要了解每件工作的急迫性和複雜度，還要考量每個人的能力，平衡每個人的工作量。

因此，這個角色常常會成為團隊的瓶頸——每件事情都要經過他分析、排程、驗收、開會，這就常造成團隊成員空等他來分派工作的情況，更別提如果工作項目比既定時程提早或延遲所需要的協調工作，這角色要處理的事情太

多、太雜了！

那麼敏捷開發或 Scrum 如何解決這個角色的問題呢？

Scrum 沒有人負責工作分派！

在我深入了解 Scrum 前，我本以為是由 Scrum Master 來扮演這個角色。

後來跑了敏捷才知道，原來 Scrum 有一個大原則：工作由每個人自己認領。

在短衝規劃會議（Sprint Planning）中，開發團隊選擇多少個工作項目，是沒有人可以要求他們的；此外，團隊的每個人也是自行選擇自己的工作任務。

這乍聽之下彷彿是天方夜譚！

畢竟我當時的想法是人都是被動的，沒事做當然最好，怎麼可能主動去找事情做呢？神奇的是，在我們實踐過程中，我們發現團隊確實會主動自己找事情，也找出做事方法。

有些團隊互相協調，最早做完手上任務的人，就可以自己挑下一個任務執行，所以大家都想儘快做完目前手上的項目，以搶先挑自己喜歡的下件事情來做。而有些時候團隊則勇於挑戰自我，大家都挑自己最沒把握的，以學習自己不熟的東西。但是有些時候團隊則完全相反，每個人都選自己最有把握的項目，因為想儘快讓產品加值上線。再來，有些團隊選擇承諾少一點工作項目，因為想花多點時間在技術上。

不論方法為何，這邊要講的重點是：團隊如何執行工作，是由各個團隊依照現況來決定最適合的處理方式，且處理方式會隨著時間和環境有所改變。

此時，就有一個疑問經常出現了——「沒人想做的工作怎麼辦？」

有一個過度解釋的迷思是：團隊要做什麼完全由自己決定。

但事實並非如此——因為所有的工作事項，仍然必須先經過產品負責人排序。故團隊認領工作的原則，是按優先級從高到低來認領，並非全然隨心所欲。

從實例中我觀察到：一開始，團隊不太會提到「想不想做」這件事，因為「能自由選擇要做幾個項目」這件事，與傳統的方法相比，已經是非常大的衝擊，也已經具有超大的自由度。因此團隊通常會把注意力放在「需不需要做」，而非「想不想做」。

其中，有一個好現象是：團隊開始質疑工作的價值和優先順序。

因為這代表團隊對於產品有想法和認同——此為產品負責人闡述價值和彼此溝通的好機會。如果產品負責人能提出論述也虛心接受建議，便能經由討論讓產品的品質上升。

在我印象中，一開始跑 Scrum 時會遇到的問題大多是自身選擇的工作項目做不完。而且工作項目份量的多寡非常主觀，會因為每一個人的能力不同而有變化，所以並沒有比較的基礎和意義。然而比起工作量的多寡，我更想問的是：如果有人擺爛不做事怎麼辦？

很幸運的，我們沒有遇到過。

我也相信知識工作者不需要人盯著才願意工作。但如果真的有這種現象發生，我相信由 Scrum 讓事情曝露出來，會比這個問題一直在傳統的方式中被隱藏起來更好。

「那產品負責人不就很倒楣，只能接受事情做不完？」

是，也不是。

因為產品負責人要相信團隊已經盡了目前的能力去做。如果有疑慮的話，套句知名敏捷教練陳仕傑（Joey，江湖人稱91）的名言：「如果產品負責人覺得自己可以做得比團隊快，應該自己去做開發，這才是價值最大化。」

與其計較每個人做了多少工作、花多少時間，不如考慮團隊是不是在做目前最有價值的事情。

至於「之前為什麼可以做那麼多，現在那麼少？」這種問題，用偷工減料、複製貼上、不寫測試等方式，都可以讓工作看似很快完成，但其實以後問題會一一浮現。

重要的是：產品負責人也是團隊的一份子，因此也可以把自己的期待和困難點跟團隊說明。若有任何不滿，當然可以說出來——畢竟敏捷說的「透明化」，不單只是工作事項的透明度，更包含想法和心情的透明度。

敏捷夥伴迴響

邱健哲　Ken Chiu　資料庫打雜專家

敏捷管理對於你而言第一個印象是什麼？你是否想過資料庫維運團隊也適用敏捷？ Yves 在書中提到敏捷常用的工作方法 Scrum 和 Kanban，然而在我們團隊，為了能夠敏捷的應對變化，卻又不失去維運團隊需要的工作模式，我們結合 Scrum 和 Kanban 的優點，並每周進行一次自省會議。曾經我以為工作都是需要由主管安排，曾經我認為獨立作業遠比協作來的有效益，如果你掌握了書中的心法和方法，你也能和我們團隊一樣改變，從主管指派到團隊自主、從獨立作業到團隊協作、從遵循計畫到回應變化。此外，書中除了介紹敏捷心法外，也提到許多實踐方法和工具，當你的工作或管理遇到阻礙時，這是一本很好的工具書。最後，如果你不懂敏捷，建議你從第六章〈戰況討論：敏捷經驗答客問〉，開始讀起，或許你會跟我一樣 Aha。

2 透明化

想跑 Scrum 並不會變好，而是看到有多糟，看到是變好的第一步

在周星馳電影《大話西遊》中，至尊寶照了鏡子發現自己原來是孫悟空，這面鏡子讓真實的自己呈現出來，我常常覺得這也是敏捷的效果之一：透明化（Transparency）讓真實的團隊情況呈現出來。

承上個小節末所提到的，這邊我們來談談什麼是「透明化」。

先說明：透明化的目的是為了讓團隊工作更順利。

過去十多年中，敏捷開發的各種方法論，例如：Scrum、看板方法（Kanban）、極限編程（Extreme Programming）等，在軟體和新創圈引起了一股旋風，也改變軟體開發與製造產品的傳統觀念。大家耳熟能詳的公司如 Google、Facebook、Netflix 等，都已在他們的日常營運中大量運用敏捷的方法。在國外的資訊產業，大家在談論的也已經是「如何更好地使用敏捷」，而不是「要不要使用敏捷」。

敏捷有很多種方法，但由於此書畢竟是我想分享自己公司團隊的經驗，故此處著重在 Scrum 的介紹。

Scrum 團隊是由一個 Product Owner（PO，產品負責人）、一個 Scrum Master（SM，敏捷教練）加上 Development Team（DT，開發團隊）組成。而這個開發團隊擁有自組織（Self-organizing）及跨功能（Cross-functional）的特色。

其中，自組織的團隊可以自行選擇最合適的方法完成工作，團隊外的人可從旁提供建議或經驗分享，但最終如何工作的決定權在團隊身上；而跨功能的團隊則擁有獨立完成工作的能力，盡量減低需要團隊外的人來協助的情況。

Scrum 是近年軟體開發方法最熱門的關鍵字，火紅的程度就像是可以起死回生的仙丹妙藥，彷彿所有的開發團隊只要服用後，全都能使顧客滿意得眉開眼笑。

然而，即使有這麼好的評價，但台灣真正導入的團隊其實沒幾個，且聲稱導入 Scrum 的團隊幾乎都是採取「在地文化台灣式 Scrum」，也就是俗稱的「Scrum-but（我們跑 Scrum，但是……）」。

那到底應不應該導入 Scrum 呢？要多大程度的導入 Scrum 呢？

關於 Scrum 模式和方法，在《理論與實踐輕量級指南》（Scrum Primer）中已經解釋得十分清楚，英文能力好的讀者可以看英文版，最直接的閱讀最能體會箇中精髓，畢竟經過翻譯之後，有些概念還是會失真。

所以今天我想單純談談，導入 Scrum 一年時，讓我最深刻的經驗和感想。

Scrum 跟其他 Agile 方法的最大差異，其實是把人（Team、Product Owner、Scrum Master）、事（Sprint Planning、Sprint Review、Sprint Retrospective）、物（Product Backlog、Sprint Backlog）做明確的定義處理。

其他的敏捷方法，如極限編程著墨在技術方法，而看板方法則是著重在流程上的處理。所以相對而言，Scrum 不僅能馬上按圖索驥，還能讓人、事、物有模有樣地各安其位，理所當然成為公司的首選。

然而實行 Scrum 到底有什麼難度呢？

Scrum 的難點在：它並不是設計來產出產品，而是把全部的開發流程透明化，讓優點和缺點明顯曝露出來的擴大器。

怎麼說呢？比如團隊可以自己決定要拿多少工作，通常產品負責人就會抱怨產出比之前降很多——因為之前的高產出是用 PM 的鞭子和愛心，加上主管的壓力關懷，以及工程師的偷工減料等創意堆疊出來的！有句話說「出來混，總是要還的」，這樣的情況日積月累下，就會發現公司離職率頗高，且團隊總是有修不完的 bug，而那完成了99％的系統，永遠差那無法達成的 1％。

那，曝露出來的弱點怎麼辦？——有弱點就改善呀！

假設每次短衝（Sprint）有 1％ 的改善，在經過 50 次的短衝之後，整體的完成度就會增加 64％！換句話說，就是可以在 1 到 2 年的時間內讓 5 人團隊的能力變成擁有 8 人的戰力，聽起來很不錯吧？（至於 1％ 的改善度在經過 50 次之後為何會是 64％？這用 1.01 的 50 次方概念就可以理解囉。）

接下來您一定會想問：「如果不改善弱點呢？」

首先，這要靠 Scrum Master 的功力，讓團隊認知到自身的弱點。其次，如果團隊有了認知，且有意願改善，那我們就盡力協助。然而，如果是一個團隊認知問題，且團隊又沒有改善的意願，那該怎麼辦呢？

要知道在現在這個超級競爭的環境下，一個待在不求進步的團隊中的義士，再過幾年變成烈士的機率是很高的。

講完缺點，當然也要談談 Scrum 的優點。

一個想要進步且自動自發的團隊，在 Scrum 的框架下會得到應有的尊重和授權，在正面循環的作用下，便會不斷增加自己的能力和產品的品質。能在這種團隊和環境工作，所得到的成就感和滿意度，都將遠遠超過由 PM 主導的傳統開發模式。至於這樣的說法是真是假，只能自行體會了。

　　回到 Scrum 是個「擴大器」的說法，既然 Scrum 能相當程度顯露組織的好壞，因此導入 Scrum 的前提就是——心臟要夠大顆。

　　畢竟，在察覺到團隊可以自我管理時，絕對會讓人雀躍不已；但若體驗到團隊失去外在壓力後產能直落谷底，或表現出不願意改善的態度，那時用「絕望」一詞也不足以形容這種感受。

　　所以，要導入 Scrum 前請先想想：您心臟夠大顆嗎？

　　以上是針對內部團隊來談透明性。同時在 Scrum 中，透明化的體現還在於團隊成員都能彼此理解對方的工作情況。而企業中的透明化，則包含流程、制度，與可以方便取得所需要的文件，如：知道交際預算的使用是由什麼職務決定，或者開發產品目前的營運狀況等資訊。

　　透明化的目的雖然是為了讓團隊工作更順利，過度透明卻容易造成資訊爆炸。所以，透明化程度的拿捏，需以工作為核心，並非所有事情或資訊都要透明化。

　　而對外部的顧客和利害關係人來說，透明性就是在每個迭代都能看到團隊做好的產品，並且當下就能給予修改的意見和方向。如果目前做的都符合顧客需求，那很棒呀！我們可以直接進到下一個階段。可是萬一做出來卻不是顧客想要的，那我們最多也只是損失一個短衝的時間；若是傳統的開發方式，結果卻是非常慘烈的——花了好幾個月的時間開發出來的產品，因為顧客一句話只

能全部重來。

在《原來您才是絆腳石：企業敏捷轉型失敗都是因為領導者，您做對了嗎？》（以下提到此書會簡略以《原來您才是絆腳石》表示）一書裡提到，〈敏捷宣言〉中的第二條：「**可用的軟體重於詳盡的文件**」，這背後代表的價值觀便是透明化。

同時，為什麼〈敏捷宣言〉第二條要特別把文件與軟體做比較呢？

我認為這跟時代背景有關。

傳統的軟體開發模式中，因為分工較像流水線的形式，比如客戶跟 PM 訪談確認需求，PM 在整理需求並撰寫文件後，把文件交給軟體開發單位的主管，主管依此寫出技術設計文件，最後再把技術開發文件交給開發人員進行程式開發……覺得很冗贅吧？這邊可都還沒有提到與其他單位配合所需要的文件呢！比如給品質保證部門的測試案例，或是之後程式上線前的發布文件，這些都是必需的流程。

看完上述流程，會發現：依照傳統的開發方式，在開始寫軟體之前，就需要先寫出一堆文件。此外，文件完成之後，若有任何需求或設計的變更，便需要把文件一一更新；萬一沒有更新資料，後續接手的人閱讀文件就會像在看天書──有看沒有懂。

而長期待在軟體業界的人，都會知道開發文件的作用不大，這主要有三個原因：

首先，軟體專案的時程都很緊迫。

因為急迫，在專案時程被壓縮的情況下，寫文件當然是最先被放棄掉的，因為時間要留給寫軟體用。更進一步解釋：文件是為了讓之後接手的人好理解，但現在我都自顧不暇了，哪有時間考慮未來和他人呢？

其次，軟體是相對抽象的概念。

在蓋房子之前，都會有事先畫好的藍圖提供給客戶，以求預先看到房屋完工的具體樣貌。然而軟體並非如此——顧客只能大概描述他理想中的情況，也許可以加上圖示（Mock up）幫助顧客想像，但許多問題還是會在實際使用的時候才被發現。所以，當 PM 書寫需求文件時，根本無法處理到太多細節。

最後，是軟體的更新太容易。

這個原因也是最根本的原因。畢竟改一行程式碼，也許就會需要更新好幾份文件，而更新軟體的速度遠遠快於更新文件的速度，所以工程師大多會認為：「等多更新幾次程式碼後再來更新文件。」但最終往往連更新文件都省了。

綜合以上因素，在敏捷開發中提倡的做法是：讓程式碼本身就是文件（Code as documentation）。即讓後續接手的人，光靠程式碼與測試案例，就可以知道大部分的資訊，並能開始維護與更新程式碼。

當然，這是個理想中的狀態。

所以宣言中說的是「詳盡的文件」，而不是直接說「文件」。畢竟能被及時更新的關鍵文件，還是有其存在的必要性。但為什麼宣言中說「可用的軟體」，而不直接說「軟體」呢？

在傳統專案管理中，客戶大都是接近結案時才會看到產品的狀況。而如同上述所說，軟體是個抽象概念，因此客戶期待的成品大多會與實際做出來的差很多，接著，團隊就會進入不斷修改需求的地獄輪迴。

俗話說：「醜媳婦總得要見公婆。」

而敏捷開發則認為：既然早晚都要見公婆，不如早一點見面，讓公婆給些意見和反饋，以求儘快改善缺點，迎接以後的幸福生活。

敏捷夥伴迴響

> **Eric Chen　剝洋蔥的人**
>
> 對於敏捷，我的體驗是讓問題更快地被揭露出來，當問題出來了，就有更高的機會可以去做調整改變，然後再衝刺。在跑敏捷的過程中，我覺得對於改變調整進步的意識需要很強烈，這樣可以在過程中增加安全感跟方向感。

3 顧客導向

身體最誠實，數據最確實，顧客最真實

在電影《天菜大廚》（Burnt）中，主角亞當（Adam）是一位充滿天賦但脾氣暴躁的主廚，由於亞當很執著於要取得米其林的星星，讓自己與團隊都承受了很大的壓力，團隊成員因此不服氣一直扯他後腿，致使他的摘星之路始終不順暢。直到有一天他突然想通了，回到最初想要做菜的初心，就是讓對方品嘗到用心做的美食，所以就算餐廳服務員通知發現米其林的祕密客來餐廳用餐，他也只是淡淡的說了一句：「做我們平常做的，我們一起做。」（We do what we do and we do it together.）

亞當專注於讓對方品嘗到美食的心意，就是一種顧客導向的展現。

一直以來，我們都很強調自己是技術導向（Technology Centric）的團隊，直到有一天敏捷發現了我們，我們才開始往使用者導向（User Centric）慢慢移動。

我曾自我感覺良好地認為自己的思維應是使用者導向，直到最近，我才赫然發現——果然是自我感覺良好。

有一次一個新開發的產品上線，但它的網頁開啟速度很慢。一個沒什麼圖片的登入頁面，使用者的第一次登入居然要花 5 到 10 秒才能載入完成。在仔細檢查程式碼之後，發現根本原因是一個 500k 大的程式碼 JavaScript library ——原來是團隊成員將產品內會經常用到的 JavaScript 功能集中在一起，但卻沒有壓縮而造成檔案過大，

導致在網頁開啟時浪費了不少時間。

上述事件發生時，我剛好在現場，這時當然要仔細詢問：這種荒謬的事情是怎麼發生的？

「為什麼要把程式碼都合在一起？」

「因為這樣可以減少伺服器發出請求的次數，讓頻寬的花費減少。」

「但是我們的網站最多不過十幾個 JavaScript，就算合併成五個以下，減少的伺服器請求也不到十個，這樣做有效益嗎？」

「這樣做會讓程式碼比較有條理，找起來容易，還有……」

（以下省略30分鐘的討論過程，畢竟這種狀況應該每天都在各個團隊上演。）

到最後，因為我是個不會寫程式的產品負責人，沒辦法說服這個團隊此舉有問題，所以他們除了先執行壓縮並把檔案縮小後，就沒有下文了。

後來，有個夥伴提出網站記錄上，使用者下載速度過慢的問題來討論。我恍然大悟：之前的情況我竟圍繞在技術問題上打轉，而且還想說服技術人員、討論技術問題──這在在顯示出我骨子裡根本仍是技術導向的人呀！

如果我的想法是以使用者為導向，回到上述情境，我的問題應該是：「怎麼樣才能讓使用者更快看到頁面？」只有如此，我們才能免於技術的唇槍舌戰。因為技術的做法並不客觀，很多時候是會受環境限制，這樣不但討論不完，對錯也很難驗證。

然而使用者的體驗，可以反應在客觀的數據上。比如：這個改變對使用者來說有什麼影響？他們有沒有更快登錄、買更多東西、結帳速度更快、更常回來購買……這些數據都是容易取得的，而且幾乎可以立即依照結果來分析，並改善相關問題。（順帶一提，「提出之前產品改動對使用者的影響和分析」這件事，也是短衝回顧會議上非常重要的活動。）

在 Scrum 跟敏捷中，所有活動的中心都是圍繞著產品，目標都是「如何知道客戶要什麼」、「如何讓客戶最快用到產品」，以及「如何提升我們交付產品的能力」。

所以「客戶（使用者）要什麼？」，在一個真正敏捷的團隊中應是常被提到的問題。因而「這對使用者有什麼價值？」這種問題被提出來的次數，也可以當做是產品成功的領先指標。

在您的團隊中，常聽到「這對使用者有什麼價值？」這句話嗎？

我們試想一個情境題：

> 有個客戶來公司開會，突然覺得肚子不太舒服前去洗手間，當他按下沖水鍵後發現——衛生紙沒了！這個客戶只有您的電話，於是馬上打給您求救；然而此時的您剛好與公司老闆一同參與重要會議。
>
> 這時，您會選擇怎麼做呢？

在不同的組織文化裡，這個問題有不同的答案。

在老闆掌握一切權力的組織中，會得到這樣的回答：「這是個偽命題，跟公司老闆開會必定要把手機關機，所以根本不可能會接到客戶的電話。」

而在業績是唯一目標的組織裡，答案是這樣子的：「要先思考這個客戶上個月貢獻的營業額。如果超過一千萬，我會當下便衝到廁所將衛生紙雙手奉上；若是一百萬左右，那就等我開完會再把衛生紙送去；要是他上個月沒業績──衛生紙花費是公司業務費，外人需自行準備。」

至於在非常遵守標準流程 SOP 的組織當中，會是這樣的流程：「先看專案合約上是否有提到公司需提供衛生紙的服務。若有，再看服務協定 SLA 上規定要在幾分鐘之內送到，最後查詢 RACI 權責表中認定是負責送衛生紙的是哪個單位。如果是我要去送的話，需要向會計申請衛生紙兩張，還要跟總務通知衛生紙的庫存少了兩張。如果兩張衛生紙不夠，請先找法務修改合約。」

以上是不同類型的組織呈現的回應。

若用〈敏捷宣言〉來看，這三種情況有什麼樣的缺失呢？

首先，〈敏捷宣言〉的第四條：「**與客戶合作重於合約協商**」，已指出上述第三種官僚主義的情形是不該發生的。

而〈敏捷宣言〉背後的原則第一條：「我們最優先的任務，是透過及早並持續地交付有價值的軟體來滿足客戶需求。」也說明及早滿足客戶需求比滿足老闆需求來得重要，因此第一種情況也不應該發生。

看起來，第二種貢獻價值導向的情況應該是最接近的選項。但〈敏捷宣言〉第一條：「**個人與互動重於流程與工具**」，說明敏捷應是以人為本的。所以當客戶陷入苦難，自己的行為又只是舉手之勞，怎麼能用業績來區分待遇呢？

那在一個敏捷式組織裡，應該會發生什麼事呢？

見到客戶的電話通知，需向公司老闆說明有客戶來電，在了解情況後表示該客戶有急事，自己可以快速處理後回來，並且衛生紙要親自送去，以免客戶尷尬。事後要向相關部門反應，並一起找出讓之後使用廁所的人不會再次遇到此問題的對策。

　　現在，客戶電話來了，您的選擇會是什麼呢？

> Mark Tseng 　山野高人

我第一次聽到 Yves 講 Agile 跟 Scrum 時頗為驚豔,「這不是我在東南亞管理公司的心法嗎?居然有兵法可以落入文字,據以操作,太了不起了。」當時心裡第一個感受是這樣的。

後來知道他嘗試過傳統的科層組織那種命令與控制(command and control)的管理模式,感受到計畫不如變化,對市場需求應變不及兼以人才流失才學習,並且開始導入敏捷開發以後,組織變得靈便,而且人員的成就感與意義感增加了,歸屬感出來了,組織的智慧可以留存,績效大幅成長。

理論可以曲高和寡,但是缺乏實際驗證就沒有什麼用,太多時代過程中的理論來了又去,沒有可信的驗證,連留存都沒有價值。

「實驗是檢驗真理的唯一途徑」,敏捷式的心法我用過了,但是我覺得道可道非常道,我的能力沒法子把做過的事情落於文字的。

Yves 經過幾年的實作了,而且證明了確實可行,還落於可用的文字供人參考,可謂是真正的嘉惠業界。

這是一本實戰書,具體可用,而且是一本活著的書,可以幫需要不斷如常山之蛇一般靈便以因應局勢的組織注入靈魂。

我建議想要讓組織活性化可以達到的企業都應該要購買。

孫子曰:「兵無常勢,水無常形;能因敵變化而取勝,謂之神。」

兵無常勢尚且能克敵百勝,您需要這樣的神奇方法。

4 持續學習

自省是手指頭指自己，檢討是手指頭指別人

電影《絕地救援》（The Martian）中的主角馬克（Mark），一不小心被留在了火星上，為了活下去，他學習了用火箭的燃料製造水，用組員留下來的排泄物製作肥料，找回之前故障留在火星的探索車，一步步的建立自己的生存機制，等待救援的到來。如果他放棄了不持續學習，就無法找到新方法，也許就會埋骨於火星了。

人需要活到老學到老，組織也是一樣，持續學習可以讓組織保持活力，應變外在的變化。

〈敏捷宣言〉第四條：「**回應變化重於遵循計劃。**」代表了持續學習，也就是不斷的學習更好的應變方法來適應環境，所以我認為敏捷式管理的最終目的是：建立學習型組織。

除了 Scrum 的活動外，我們還可以經由「結對編程（Pair Programming）」——即兩個人同時一起處理一件事情——讓彼此在工作中學習各自的專長。

另外，企業內外各種技術與學習的分享，比如建立企業中的實踐社區（Community of Practice，簡稱 COP），參與產業中的社區活動等。這些都是讓企業保持學習文化的具體方法。

「這個採購案不能進行，因為去年沒有編列這項預算。」

這種說明因去年沒有計畫所以今年不能做的理由，應該常在組織中聽到。

但每次我都會想：這個計劃到底是幫助公司有效管理，還是限制公司的成長？

「回應變化重於遵循計劃。」

這句話聽起來很簡單——若現實環境改變，我們應更改原本的計劃，並適應新的情況。但我認為，這是最難做的一條。因為不論是人或是組織，都有慣性——人們會習慣跟著過去的計劃往下走，直到走不下去為止。

在敏捷的各種方法論中，Scrum 最專注於工作模式上。故 Scrum 中的各種活動，都是專注在檢視現狀，並做出相對應的調整。

在 Scrum 固定時間的短衝（Sprint）中，每日的站會（Stand up）、每個短衝的回顧會議（Review meeting）與自省會議（Retrospective meeting），只是檢視和調整的目標對象不同，其核心概念都是為了讓團隊慢下來——先停止工作，觀察目前的情況是否符合預期。

比如在每日站會裡，團隊成員檢視的是在短衝中每天的工作情況：工作進度是否遇到阻礙，團隊成員是否有需要協助，或是尋求他人協助的地方。

回顧會議的時間點則是在每個短衝結束前，且重點放在產品本身。邀請利害關係人一起檢視：這個短衝所做的成果是否符合他們的預期？有沒有需要修改的功能？或是有沒有其他可以讓產品更好的點子？

除了這個短衝的成品，過去產品的功能績效，也應在此時被追蹤與討論。而產品負責人在會議上蒐集這些反饋後，將之反應在產品待辦清單的修整（Refinement）上，思考是否新增、修改、或刪除使用者故事（User Story）。

換句話說，有效的回顧會議應有的影響，就是讓產品待辦清單是活的——這代表著產品待辦事項會經常性的變動，包含優先級順序和內容的變動。如果產品的待辦清單長期下來沒有優先級或內容的改變，這是一個需要注意的警訊：代表我們可能沒有取得反饋，或反饋沒有被接納並反應出來。

而自省會議中，團隊檢視的是該短衝中的工作情況，並決定下個短衝裡所需要的改善事項。然而自省會議是最重要，也是最難開好的會議——最常遇到的難點是流於形式，變成大家閒聊一會兒便散會的情況。

所以在實務上，SM 需要找各種方法讓團隊成員願意坦誠地面對問題，或說出具有建設性的回饋，並且要保持大家的新鮮感。

進行自省會議的常見方法，包含時間軸回顧、 ＋ － ＝（多做、少做、維持）、肯定與感謝、慶祝等。此外，在 Google 上搜尋 Retrospective games 也可以找到許多自省會議的點子。

而自省會議中最重要的產出是——改善事項，即便是一件非常微小的事也好。承繼前文所言，只要我們每個短衝都比上一個好一些，可以預期在經過一年的時間之後，團隊就會脫胎換骨！

因此我認為：自省會議是讓團隊工作效能提升的最重要會議，更是 Scrum 的精華所在。

　　在決策時候，除了大家熟悉的主管決、投票決、共識決等等方式，還有另一個認可決（Consent）的選項。認可決是全員參與制中的關鍵，共識決與認可決最大的差異點，在於共識決需要全部人都同意，而認可決只需要達到沒有重大反對意見就可以進行。在認可決的過程中，所有的反對意見都是很寶貴的資訊，可以幫助我們調整提案，這也是一個讓成員可以分享觀點、互相學習的過程。

　　〈敏捷宣言〉第四條：「**回應變化重於遵循計劃**」，這個概念背後的價值觀便是持續學習。如同上文在 Scrum 中的各種活動，都是觀察現況、做出改變、檢視成效的不斷循環──這就可以反應出：該團隊的能力是持續提升的！

敏捷夥伴迴響

> ❝ Chris Huang　　iTHome 科技學習部企劃經理
>
> 話說⋯⋯有時候不走死路，拿不到最強裝備呀。
>
> 　RPG 迷宮的死路，多半還有個寶箱安慰獎， IT 開發走錯路時，企業有收獲同樣的東西嗎？
>
> 　⋯⋯有時候不走死路，拿不到最強裝備呀。那就看你有沒有樂在其中囉？ ❞

5 逐步精進

完美的人並不存在，但任何人都可以更接近完美

很久以前，有一個完美的男人和一個完美的女人談了一個完美的戀愛，他們有了一個完美的婚禮，從此過著完美的生活。在聖誕夜晚上，這對完美的夫妻開車時在路邊看到聖誕老人，決定送聖誕老人一程，但一不小心發生了車禍，只有一個人活了下來，請問完美的男人、完美的女人、聖誕老人之中誰活了下來呢？

Scrum 的團隊需要自組織 (Self-organization) 和跨功能 (Cross-functionality)，所以很多第一次聽到 Scrum 這種運作方式的人都會心生疑惑。

每個人自動自發做出貢獻，沒有階級制度，卻能互相合作產出使用者喜愛的商品，更重要的是，這一切完全不需要團隊外的人鞭策和命令——這根本就像是柏拉圖式的理想國或共產主義的完美實踐：各盡所能，各取所需。因此有人說這是神話。

對此，我想引用 Bas Vodde 說過的話：「您沒在我待過的環境，您沒辦法想像 Scrum 可以到達的境界。」

一般人總覺得現實是殘酷的，世界不可能真的那麼理想。因此我認為：敏捷開發並不適合每個人——至少不適合那些觀念還沒改變的人。

那麼哪些人適合在敏捷的框架下協作呢？

這要回歸到 Scrum 跟 Agile 的精神：對人員的要求。

參考敏捷宣言與敏捷宣言背後的12項原則，我整理了人員的重點行為如下：

個人與互動重於流程與工具：樂於與人互動

「**個人與互動重於流程與工具**」展現的是團隊成員重視團隊成功勝過於個人的成功。而這所顯現的重點行為是：樂於經常與人互動，此處的「人」包含團隊中的夥伴還有外部的合作夥伴和客戶。

團隊與客戶能夠表達並且理解對方的想法，便能以積極（motivated）的個人來建構專案。公司給予團隊所需的環境與支援，並更信任他們可以完成工作。此外，面對面的溝通是傳遞資訊給開發團隊及團隊成員之間效率最高且效果最佳的方法。

可用的軟體重於詳盡的文件：能做出產品

「**可用的軟體重於詳盡的文件**」意味著敏捷重視能夠交付並實際可用的成品，勝過於不斷在紙上規劃和交接。此處所顯現的重點行為是：「能做出產品」。因為可用的軟體是最主要的進度量測方法，因此必須盡力做出可用的產品（shippable increment）投入市場測試。我們最優先的任務，是透過及早並持續地交付有價值的產品以滿足客戶需求。

與客戶合作重於合約協商：以客戶的利益為出發點

「**與客戶合重於合約協商**」展現的是尋求與客戶之間的緊密溝通，而非將自己與顧客分立為僅僅是契約上的甲乙方。此處所顯現的重點行為是：「以客戶的利益為出發點」。這代表的是竭誠歡迎改變需求，甚至處於開發後期亦然。因為敏捷流程掌控變更，需以此維護客戶的競爭優勢。開發者與相關人員

必須在專案全程中保持密切的關係，必要的話，甚至天天都需要在一起。

回應變化重於遵循計劃：樂於改變

「回應變化重於遵循計劃」展現的是擁有時時回應變化的心態，勝過於只想謹守一個完美不動的計畫。而這顯現的重點行為是：「樂於改變」。一般實務上短衝以一周或兩周為主流，在數週到數個月的頻率中交付可用的產品，使團隊可以時時保有彈性，從而創作團隊穩定的工作節奏。此外，團隊也會定期自省如何更有效率，並以此調整與修正自己的行為。

總結來說，在敏捷開發中對個人的要求是什麼呢？

很簡單，就是——保有積極與樂於改變的態度，並以客戶的利益為出發點，盡力做出可用的產品。此外，除了樂於天天面對面與人互動，還要重視團隊成功大於個人成功。而在技術上，不但要有專業能力，還能以可持續的步調在短時間內交付產品，並持續追求優越的技術與優良的設計。最重要的是——要能定期自我反省並實際做出改善。

以上的條件聽起來是不容易做到，但其實每個人只要願意都可以做到。就像森林中的每一棵樹都展現了整片森林的生命力。因為在土壤中整片森林的樹根彼此糾纏、相互連結、一同生長。樹是小我，森林是大我，有森林的支持讓每棵樹有伴不孤單，有每棵樹的參與讓森林有趣不無聊。

森林就像是團體，樹像就是個人，當我們能享受彼此的羈絆、強化相互的溝通、支持共同的成長，就能讓所有的夥伴有伴不孤單，有趣不無聊。

這也是敏捷能帶給個人和組織的價值。

回到前面問的問題，完美男人、完美女人、聖誕老人之中誰活了下來呢？
答案是完美的女人，因為完美的男人和聖誕老人並不存在。

聰明的您應該已經想到：如果真的是完美的女人，怎麼會出車禍呢？

敏捷夥伴迴響

❝ 李崇建　　　　　　　　　　　親子作家、心靈書作家、千樹成林、
　　　　　　　　　　快雪時晴創辦人、台灣青少年協進會前理事長

　　從個人生命到組織文化，從個人成長到團隊成長，從人性關懷
到客戶需求，我認為敏捷導入的成長思維，是這個時代最科技、最
有效率、也最溫暖的實踐篇章。　　　　　　　　　　　　　　❞

Chapter.3
基礎戰技

敏捷有哪些內容

1 敏捷的方法

> 不管黑貓白貓，能捉到老鼠就是好貓。——鄧小平

從前有一個人想要出門買鞋子，於是在家裡量了自己的腳，然後把長度寫在紙上，之後就開開心心的出門了。到了鞋店，老闆問他鞋子的尺寸，他摸了摸自己的口袋，然後很挫折地說道：「慘了！慘了！我量好腳長，也寫下來了，但竟然忘了帶紙！」

其實敏捷的各種方法就像鞋子一樣，適合自己的腳比紙上說些什麼重要。但我還想要強調一點：合適並不代表舒適，舒適的環境代表的通常是安逸而失去競爭力。而敏捷，多多少少會讓自己不舒服，因為這代表了正在踏出舒適圈，而踏出舒適圈，就是學習成長的第一步。

不論是什麼方法，我都建議參考日本劍道的學習原則：「守破離」（Shu-Ha-Ri）。也就是說，學習的第一步是找到老師，接下來老師說什麼就做什麼，先清空自己，放下之前的思維，「守」住老師的方法照做。如果不肯照做，之前就不應該找這位老師。照做一段時間，到達一個程度後，開始會有一些自己的想法和心得，這時候就可以按照自身的狀況調整，也就是邁向「破」的階段，開始找自己的風格。最終的階段則是擁有自己的風格自成一家，到達「離」的階段。

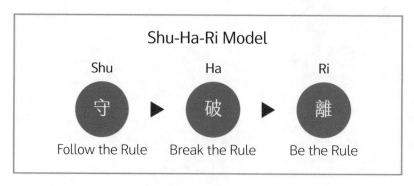

學任何東西若沒有經歷這三個階段，就像是號稱拜師學劍術的武士，只願按照自己的想法揮刀，又何必要拜師呢？我看過一些團隊，學習敏捷的過程還沒有「守」就開始「離」，這是很可惜的，因為沒有實際按表操作過，並沒有辦法理解每個方法的精髓，最終就是草率以「我們跑過 Scrum 但不適合我們」帶過。但，跑半套的 Scrum 真的叫 Scrum 嗎？

此外，如果想貫徹敏捷，首先要明白敏捷包含許多種方法，包括看板（Kanban）、Scrum、精實（Lean）、極限編程（XP）等。

舉例來說，看板方法（Kanban）就是工作透明化的好幫手，許多跑 Scrum 的團隊會同時使用看板來讓工作事項一覽無遺。因此，看板最大的價值是讓團隊的工作透明化，進而得以找出目前卡關的事項、工作流程的瓶頸或工作量的分配等問題，從而針對問題點改善。有興趣的讀者可以參考《看得見：看板讓您看得見》和《看板方法介紹》這兩本書，得到更多關於看板運作的介紹。

至於最熱門的敏捷方法當屬 Scrum。Scrum 原意是橄欖球的爭球動作，軟體界並沒有針對這個詞的中文翻譯，都是直接以 Scrum 稱呼它。Scrum 是用於開發和持續支持複雜產品的框架，也是目前最時興的一種敏捷工作方法，大多數進入敏捷開發的團隊多半嘗試使用 Scrum 運行。

Scrum 特點是利用短週期的次次迭代來求取進步，在 Scrum 中，每個週期稱之為短衝（Sprint），每個短衝的時間是 1 到 4 個禮拜不等，實務上則多建議每個短衝不超過 2 個禮拜。藉由 Scrum 的方法可以快速讓產品或服務迭代，持續取得資訊和顧客反饋，並依此改善。

催生 Scrum 的 Ken Schwaber 和 Jeff Sutherland 兩人共同撰寫並釋出了
《Scrum 指南》(Scrum Guide)，供讀者在網路上自由下載。同時，《Scrum 指
南》在 2020 年做了改版，有興趣的讀者可以參考敏捷三叔公 David Ko 所做的
不同版本比較 。

敏捷三叔公 David Ko
〈Scrum Guide 2020 - Scrum Team 的轉變〉

　　由於 Scrum 使用度高，加上我所實踐的敏捷偏重於 Scrum，本書將著重
在公司導入 Scrum 的內容介紹，以下篇章將依序細說 Scrum 的三種角色、物
件與活動，以及敏捷的精神，期望在《Scrum 指南》的基礎上，增添我個人
的舉例和經驗，讓讀者更快了解敏捷方法如何一步步從「守」開始做起。

Scrum 的角色

我有各種角色，但每個角色都不等於我

> 小明走在路上，看到有兩個人在路旁挖洞，神奇的是第一個人挖完洞後，第二個人就把洞填起來了。而且還不是只挖一個洞，他們沿著路旁重複做一樣的事情。
>
> 小明看了一個小時，看著他們挖了十多個洞又填起來，終於忍不住問道：「請問你們在做什麼？」
>
> 其中一個挖洞的人回答：「我們在種樹。」
>
> 小明更疑惑了：「我沒看到樹啊。」
>
> 挖洞的人回答：「負責種樹的人今天生病了，他沒來怎麼會有樹！」

如果是您的團隊，種樹的人今天沒來的話，會發生什麼事呢？

「每個人都是步槍兵，然後才是其他角色。」這是美國海軍陸戰隊的格言，就是希望每位海軍陸戰隊的成員都擁有戰鬥力。

我認為在敏捷團隊中，每位成員都先是產品和服務的提供者，然後才視情況扮演不同的角色，如果讓角色限制了自己的成長，就太可惜了。這也是在鈦坦科技，工程師的職稱一律稱為產品開發師（Product Developer），而不分為前端、後端的原因。

那麼，除去傳統專案的各種職稱頭銜，實際在 Scrum 專案中會有哪些角色呢？

我們先來看看《Scrum 指南》裡如何定義 Scrum Master：

「SM 的職責，就是確保 Scrum 被瞭解和實行，並確認團隊遵循 Scrum 理論、實踐、和規則。簡言之，SM 就是團隊的『僕人式領導者』，除了必須幫助團隊以外的人瞭解如何有效與團隊互動外，也要幫助每個人改變互動方式，讓團隊創造的價值最大化。」

剛接觸 Scrum 時，對 SM 誤解最深的就是——不過是個「僕人式」的團隊領導者而已。後來，我才發現自己大錯特錯：SM 根本是個神一般的存在！

在導入 Scrum 的經驗中，我和團隊切身感受到：「好的 SM 帶您上天堂，壞的 SM 讓您自以為在天堂。」因為 Scrum 講求的是「自組織」，所以剛開始導入時，許多外在的壓力突然消失，讓開發團隊進入一種快樂到無重力的狀態。

但這時候，主管都還是在觀察。如果團隊保持現狀、不思進取，讓主管對 Scrum 失去信心時，舊的環境就會回來；因此，唯有自我要求，才能讓團

隊持續進步。過程中，SM 的工作，就是要能讓團隊時刻認知到進步以及自我要求的重要性。

而其中「敏捷相關的知識和經驗」要依靠 SM 維護。

SM如何服務組織成員

對此，《Scrum 指南》中分成對「產品負責人（Product Owner）」、對「開發團隊」及對「組織」三個對象來說明，這部分我們延續其架構稍作中譯說明：

SM 服務 PO 的方式包含：
- (a) 瞭解和實踐敏捷方法
- (b) 瞭解在「經驗導向環境」中的產品規劃
- (c) 找出有效管理產品待辦列表（Product Backlog，簡稱 PB）的技巧
- (d) 幫助團隊瞭解產品待辦列表，並保持列表清楚簡潔
- (e) 確保 PO 知道如何安排產品待辦列表，將價值最大化
- (f) 當被要求或是有需要時，引導 Scrum 事件進行

SM 服務開發團隊的方式包含：
- (a) 在尚未完全採用和瞭解 Scrum 的組織，訓練開發團隊
- (b) 教練開發團隊如何自組織（Self-organization）和跨功能（Cross-functionality）
- (c) 幫助開發團隊創造高價值的產品
- (d) 移除阻擋開發團隊進步的障礙（Impediments，但不是所有障礙！）
- (e) 當被要求或是有需要時，引導 Scrum 事件進行

SM 服務組織的方式包含：

ⓐ 領導和訓練組織如何採用 Scrum

ⓑ 規劃 Scrum 如何在組織中實行

ⓒ 幫助員工和利害關係者瞭解並實踐 Scrum

ⓓ 協助經驗導向的產品開發

ⓔ 引導改變，來增加團隊的生產力

ⓕ 跟其他 SM 協力，讓組織更有效的應用 Scrum 方法

SM的角色像什麼？

《Scrum 指南》比喻 SM ——就像是部隊裡的輔導長，SM 不應擁有對團隊的管理權威，特別是人事權，因為這對於自組織的產生是有害的。

其中，引導（Facilitating）對 SM 來說是最重要的能力，因為 SM 服務的對象有開發團隊、產品負責人以及組織，並且要時時注意提升開發團隊的技術與實踐能力。

最常被誤解的 SM 工作是「移除障礙」。誤解的人將此解讀為：沒人做的、不想做的、沒時間做的，都是 SM 的事，所以 SM 常被當成「雜工加救火隊」。

但這是對定義的誤解，回頭看看上述說明吧—— SM 的工作不是移除「所有障礙」，而是移除「阻擋團隊進步的障礙」。舉例來說，整理產品待辦清單、召集大家開會等的事情，便算不上是「阻擋團隊進步的障礙」。

或者我們還可以這樣比喻—— SM 是團隊的父母。而養育小孩的目的，不是為了幫小孩掃除所有成長路上的障礙，而是為了讓小孩有一天可以自行解除障礙，不需要父母也可以獨立存活。

在 Scrum 方法中，我們常聽到 Team 和 SM 這兩個名詞，而 PO 往往被誤以為是個不太重要的神祕角色，然而，在 Scrum 方法中，PO 才是產品成功與否的靈魂人物——因為 PO 相當程度影響產品成功與否，而通常產品如果成功，Scrum 模式才得以繼續實行。

這對團隊的生死存亡影響很大，所以組員一定要充分瞭解其職責、以及 PO 角色如何提供幫助。

產品負責人的職責

產品負責人的職責內容，在《Scrum 指南》中有清楚的定義：
「PO 是將產品和 Development Team 工作的價值最大化，至於如何達成這個目標，則會因組織、Scrum Teams 或是個人特質的不同而有很大的差異。」

產品負責人是唯一負責管理「產品待辦清單」的人員；管理內容包含：
(a) 清楚的表達產品待辦事項（Product Backlog Items）
(b) 以最能達成目標和任務的方式，來為產品待辦列表中的事項排序
(c) 將開發團隊所執行工作的價值最佳化
(d) 確保產品待辦列表透明公開且清楚表示，也要顯示團隊下一個要處理的事項
(e) 確保開發團隊充分瞭解產品待辦列表中的事項

以上工作也可以由開發團隊來做；但不管由誰來做，仍然是由 PO 當責。

　　PO 必須是一個人，不可以是一個「委員會」；如果有產品委員會，PO 可以在產品待辦列表上表達委員會的意圖和想法。但不管是誰要更改產品待辦事項的優先順序，都只能對 PO 提出。

　　要讓 PO 成功執行分內工作，整個組織必須尊重 PO 的決定，而 PO 的決定，可以從產品待辦列表的內容和排序方式看出來。

　　任何人都不能要求開發團隊做產品待辦列表外的工作，開發團隊也不可以做 PO 以外的人要求的工作。

　　稍微總結一下：
- ⓐ 只有 PO 可以決定要做什麼和先做什麼
- ⓑ 一個團隊只能有一個 PO
- ⓒ 一個團隊只能有一份「產品待辦列表」
- ⓓ 維護「產品待辦列表」並確保每個人都看到且瞭解內容，這非常重要！

這部分，我們直接介紹《Scrum 指南》裡的三點內容：

ⓐ 讓 PO 知道，我們對產品待辦事項的瞭解是否足夠

ⓑ 除了 PO 提出的需求之外，其他人提出的事項一律不做、也不接受

ⓒ 按照「產品待辦清單」上定義的順序開發產品

感覺上 PO 可以決策的事很多，而實務上來說，PO 會遇到的困難也不少，特別是面對客戶和利害關係人的壓力，關於這部分，我們會在後面兩個章節一一說明實務上的建議。

（3）Development Team
開發團隊，以下對此皆簡稱 Dev Team

當我們提到「團隊（Team）」，指的到底是 Scrum Team？還是 Development Team 呢？這兩者在 Scrum 裡是有差異的，而且差異還不小。

應該這麼說，Scrum 裡的團隊，基本上成員組成是 PO、SM 加上開發團隊（即 Development Team），這樣的設計是為了最佳化靈活性、創造性和工作效率。因此，團隊用迭代（Iteratively）和遞增（Incrementally）的方式交付產品：迭代使產品有最大化的回饋機會；遞增則以確保已完成（Done）產品永遠有潛在且可用的版本。

開發團隊有以下特性：

ⓐ 自組織：即沒有人（包含 SM）要求團隊成員把產品待辦列表，並轉化成有潛在可交付功能的遞增。

ⓑ 跨功能：即開發團隊本身擁有所有需要創造產品增量的技術。

Scrum 認為：不論團隊成員的工作內容為何，所有人的頭銜均為產品開發者（Developer）；且開發團隊中並不存在區分類別，不管是多特別的領域，例如測試或商業分析。個別的開發團隊成員可能會有自己的專門技術和關注領域，但是全體成員都要當責。

開發團隊的人數

關於最佳的開發團隊人數，只有一個準則：「小到可以保持敏捷；大到可以在一個短衝中完成顯著的工作。」

人數少的小開發團隊可能會在短衝中被技能限制住，因而無法交付潛在可發布的遞增。此外，少於三人的團隊會因為互動減少而造成工作效率低。但大的開發團隊也不是沒有缺點，因為人數多於十人則會產生不利於管理經驗導向的流程，且具有太多複雜性。另外，PO 和 SM 並不包含在人數計算中，除非他們也在執行「短衝待辦清單」（Sprint Backlog）中的工作。

綜合以上敘述，我們來做個總結：
a 團隊包含 PO，SM 和開發成員。
b 開發團隊包含可以投入在短衝中有所產出的專業人士。
c 團隊用迭代和遞增的方式交付產品。
　（a）迭代（Iterative）：在重複製作產品的過程中，每次的製作都會套入新的經驗或需求。
　（b）遞增（incremental）：不斷加上去可以用的非半成品。
d 團隊和開發團隊都是要自組織和跨功能。
　（a）自組織：自己決定如何做（How）。
　（b）跨功能：自己可以完成產品。

ⓔ 每個短衝產出為潛在可發布已完成的產品遞增。

 （a）潛在可發布：PO 隨時想發佈就可以發佈。

 （b）已完成產品遞增：沒有重大錯誤而能使用的新增產品功能。

ⓕ 開發團隊人數應在 3 - 9 人之間，不包含 SM 和 PO，除非他們也執行待辦列表的工作。以我自身的經驗，團隊成員在 5 - 7 人之間可以產生較高的綜效，比較不會因為人員異動被影響，也避免了人多增加溝通複雜度。

敏捷夥伴迴響

黃世銘 Sam Huang 　鈦坦科技 Scrum Master

　　前年我在進入一個團隊之前，跟每位團隊成員分別約了時間，瞭解每位成員對 Scrum 的期待、對 SM 的期待，以及分享我接下來可以如何協助團隊變得更敏捷，同時也確認了每位成員想和我一起改變團隊現況的意願。當時在主管、PO 及每一位團隊成員的支持下，我們每個 Sprint 都能發現許多問題提出討論，並在下個 Sprint 執行 1 - 2 個改變。

　　我覺得團隊進行敏捷旅程一個很好的狀態確實是：1. 管理層的支持，2. 每一位願意投入改變的團隊成員，再加上 3. 敏捷相關的知識和經驗。因為在過程中我們會遇到很多的失敗和問題，需要在這三個條件下才能比較有效的面對處理。

3 Scrum 的物件與活動

活動的目的在於建立團隊的節奏感

一位主教到非洲的一座教堂參加祝聖儀式。教堂的椅子不夠，主教只能坐在一個裝肥料的木箱上。儀式開始不久，木箱就被主教壓破了，主教跌倒在地跌了個狗吃屎，但是教堂內沒有一個人笑。後來，主教對該教堂的神父說：「你們這裡的人真有禮貌，我跌倒了竟然沒有人笑。」神父回答：「噢，我們都以為跌倒是儀式的一部分呢。」

Scrum 中的各種活動和物件，也可以把他們當作儀式，但每一個儀式都有特定的目的和原因，而不是為了過場好看而已的。如果團隊在剛剛開始運行 Scrum 時覺得有某一個活動是無效或浪費時間的，很大的可能是有地方出錯了。這就是個學習與調整的好時機。相同的，如果跑 Scrum 一年後，還是按照一模一樣的方式在跑沒有改變，我也會猜測他們在跑儀式，而不是跑 Scrum。

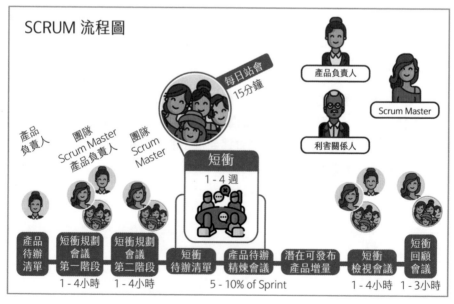

在此小節以前，我們提了很多關於 Scrum 的大概念，而由此開始，我們會正式進入 Scrum 的解說。前文提及很多 Scrum 專有用詞，但大都是以輔助心法為要而補充。此處我們預計將 Scrum 裡常提到的專有名詞概念解釋清楚，並依照《Scrum 指南》裡的定義，將這些專有名詞以「物件」和「活動」兩大塊分類，其中還加上我認為實務運作時有必要了解的一些專有名詞，以期能更進一步釐清 Scrum 運作的細節：

Scrum 物件

ⓐ Item（物件）：
又稱 User Story 或 Story，是 PO 定義的產品產出。Item 的大小很講究，一般多半可讓團隊在正常的情況下，維持一個短衝可以完成 3-5 個 Item 的步調。若 Item 太多，整體團隊太繁忙，產品品質容易大打折扣；但若 Item 太少，團隊難以感受到成就感，整個 Sprint 過後只覺得好像一事無成，這對團隊信心將會是無形的打擊。

ⓑ Task（工作）：
是團隊針對 Item（不是 PO 也不是 SM 哦），列出完成 Item 所需的工作。而工作的分配是由開發團隊自己安排，並非由一個或多個管理者由上而下分派。

ⓒ Product Backlog（產品待辦清單）：
可視為由 PO 負責整理的產品願景圖。以 Item 為單位，是一個集合所有 Item 的清單。此清單將由 PO 排序優先級，供開發團隊由上而下依序施工。

ⓓ Sprint Backlog（短衝待辦清單）：
開發團隊向 PO 承諾這個 Sprint 會盡力完成的 Item List。以 Task 為單位，由開發團隊從 Item 分割為 Task，並在整個 Sprint 完成，此清單由開發

團隊負責管理。

e Potentially Shippable Product Increment（潛在可交付產品增量）：
即開發團隊的產出。簡單來説，就是當 PO 説要上線，便可以立刻上線的
產品才算數。

f Burndown Chart（燃盡圖）：
剩餘的工作量圖表。以 Task 大小為單位。以打怪的遊戲來比喻，這有點
類似怪物的血條，可以看出目前怪物還剩下多少血量，短衝期間可以用燃盡圖
來看出剩餘的 Task 還有多少。

Scrum 活動

Scrum 的活動每一個都有他的目的和時間限制（Time Boxed）。

a Sprint（短衝）：
顧名思義，就是當團隊決定要做哪些 Item 後，著手去衝、去執行的時間
段。Sprint 長度定義上是 1 - 4 個禮拜，但實務上建議不要多過 2 個禮拜。而
且 Sprint 長度應該要保持步調穩定，這樣才容易讓團隊掌握節奏，往後也較
容易預估和比較 Sprint 內的工作量。其中有一個大原則是：Sprint 內的 Sprint
Backlog 不改變。(但有原則就有例外)

b Daily Scrum（每日站立會議）：
利用每天 10 - 15 分鐘的時間，讓開發團隊彼此間的資訊同步。由於時間
的嚴格限制，所以大多會利用站著説話的方式，以利眾人長話短説。

ⓒ Sprint Planning（短衝規劃會議）：

Sprint 開始時，討論這個 Sprint 團隊可以交付的 Item 有哪些。 Item 的優先順序由 PO 決定，要選多少 Item 則由 團隊自行決定。

ⓓ Product Backlog Refinement ／ PBR（產品待辦清單精煉會議）：

PO 跟 Team 一起討論近期內會開始施工的 Item。主要是從商業和使用者角度切入，盡可能不觸及技術細節。

ⓔ Sprint Review（短衝檢視會議）：

Sprint 結束時針對產品的會議。PO 會邀請利害關係人對產出給意見，產出必須要是可用的軟體才算數。會議進行中並不準備 Powerpoint 或其他簡報，會單純就以軟體操作來取得回饋。

ⓕ Sprint Retrospective ／ Sprint Retro
（短衝回顧會議，個人偏好稱為「自省」會議）：

Sprint Review 後，Scrum Team 成員（團隊或包含 PO），針對這個 Sprint 團隊的工作模式做討論和改善，並訂出下個 Sprint 的事項。為了創造一個安全的環境，原則上只有團隊成員才能參加。

由於 Scrum 是個易學難工的架構，基本上公司只要導入一個月，就可以似模似樣地入門了，但 Scrum 背後的精神，如團隊自我組織、持續改善等，卻可能要數個月到數年才能見效。因此，持續學習是必要的。

另外，Scrum 的架構適合於一個產品配合 1 - 3 個開發團隊的情況。如果一個產品需要更多人，則可以參考有兩套基礎於 Scrum 的方式：一套是同樣以人為本的 LeSS（Large Scale Scrum）；另一套是加入流程控制的 SAFe（Scaled Agile Framework）。

敏捷夥伴迴響

> Jerry Yang　資深產品經理
>
> 　　依據過去的開發經驗，我們總以為事前的溝通討論便已足夠，然而開發的成果卻時常不如預期。藉由敏捷開發模式能即時修正產品發展的方向，而事後回饋會議則讓每一個人有機會表達對團隊更好的意見！

4 敏捷的精神

> 很多人是三十歲就死了，到八十歲才埋葬。
> ——日本小説家本間久雄

有一天史達林、邱吉爾、羅斯福一起泡三溫暖，説著説著就比起誰的部下最有勇氣。

史達林：「二兵，爬上那個旗杆，把旗子取下來」史達林的部下完成任務。

邱吉爾：「二兵，全副武裝爬上旗杆把旗子掛回去」邱吉爾的部下也完成了任務。

接著輪到了羅斯福：「二兵，全副武裝爬上旗杆跳一支舞！」

羅斯福的部下望了望旗杆：「總統，你瘋了嗎？」

羅斯福：「這才叫勇氣！」

目前軟體開發有兩大相對的概念：

其一的正式名稱為瀑布式開發（Waterfall），心法是以流程為主軸，以 CMMI 最具代表性，在幾年前台灣政府曾大力推動支持。

其二則是正式名稱為敏捷式開發（Agile），心法是以人為主軸，在 1990 年代異軍突起。

不管跑瀑布式開發或敏捷工作流，我常覺得願意嘗試新方法，持續面對自己的不足，突破框架，走出自己的一條路，都是需要很多勇氣的。

不過這也導致很多人在聽到「敏捷」一詞的時候，總是會眉頭一皺：「敏捷」是軟體工程師的事，跟我有什麼關係？

其實在敏捷式組織裡，早就沒有這種大領域的區別。

敏捷的風從軟體資訊領域吹向企業管理的主要原因有二：

一是如美國知名創投馬克·安德森所說：「軟體正在吃掉世界。」

現代企業不可能完全跟軟體無關，不管是使用外部開發的工具，或是企業自行開發的營運系統都會運用到軟體。能更好地運用資訊系統，就打造出更好的產品——這攸關企業的生死存亡。所以了解和熟悉敏捷開發的方法，能讓我們更好地和資訊部門協作，發揮加乘的效果。

原因之二是敏捷的方法和精神，能幫助企業在霧卡（V.U.C.A.）世界中生存與找到商機。霧卡（V.U.C.A.）是英文簡寫，意思是「變動性、不確定性、複雜性和模糊性（Volatility, Uncertainty, Complexity and Ambiguity）」。

因為科技數位革命提高了資訊流通的速度，當今的商業環境變動非常快速。

以服飾業為例，傳統的服飾業從設計、鋪貨到店面需約 8 - 10 個月的時間；而 Zara 的快時尚，則只需要 2 - 3 周就可以從設計到販售——這完全顛覆業界的傳統模式。Zara 營運模式中的各種方法，如製作小批量商品、利用多種商品測試市場反應、快速取得銷售數據以決定要加碼的產品等，種種都是敏捷開發方法中精實（Lean）和 Scrum 的做法。

回到瀑布式開發與敏捷式開發，這兩大概念有何差異呢？

我認為此兩者的不同處，在於其中心思想。

若用中國哲學方式來比喻，瀑布式開發應是法家，以法為主、人為輔，並強調「不別親疏、不殊貴賤、一斷於法」。對於企業來說，即只要規則訂好，員工照著做就會有好產品；而敏捷式開發則是道家，以人為主、法為輔，主張「道法自然」。「道」沒有一定的形式，需觀察目前情境來做調整，並且將人趨於利的天性考量進去。

總之，敏捷式的專案管理更注重在人的層面，講求的是從快速從經驗中學習反應和團隊的自我管理。

企業敏捷化不是理論，而是實踐

由於資訊系統在營運中的高重要性，以及敏捷可以幫助企業更好的適應變動激烈的環境，故許多企業都開始把敏捷方法應用在資訊部門以外的領域。如 ING 荷蘭國際集團於 2015 年將總部（包含市場、銷售、渠道管理、資訊等部門，共 3500 人）從傳統的組織架構轉變成為敏捷式組織。

在商管學院常常談論到企業變革、組織再造、學習型組織等專業名詞，這些一直都是企業追求的目標，然而教科書上並沒有提供如何達到此目標的具體做法。

而敏捷轉型透過短週期的迭代，持續實驗和學習，讓組織和流程持續改善。這提供了企業有效且低風險的轉型路徑，並能達到組織新陳代謝快、激發員工的主動性、不斷在產品與服務上創新等成果。

有二十多年企業轉型顧問經驗的 Jutta Eckstein 和 John Buck，兩人都在《原來您才是絆腳石》一書中提供協助敏捷轉型的各種工具，以及敏捷在企業

中實踐的案例。

由此可知，在國外的資訊產業界，大家在談論的已經是「如何更好地使用敏捷」，而不是「要不要使用敏捷」。

因此，我們要再次提到源於軟體開發的「敏捷」（Agile）一詞中的四大價值觀：

Individuals and interactions over processes and tools.
　　個人與互動　重於　流程與工具
Working software over comprehensive documentation.
　　可用的軟體　重於　詳盡的文件
Customer collaboration over contract negotiation.
　　與客戶合作　重於　合約協商
Responding to change over following a plan.
　　回應變化　重於　遵循計劃

以上，第一條對應到「自組織」，第二條對應的是「透明化」，第三條則是對應「顧客導向」，而第四條是對應「持續學習」。為了更好的應對變化和增加企業的可持續性，敏捷以團隊為核心來運作，並希望團隊可以：擁有共同的目標、自行交付端到端的產品或服務、跨功能的團隊成員、穩定的團隊組成、依照 Scrum 或看板的方式來運作。

而跑 Scrum 的團隊，應該都要知道 Sprint Commitment。

《Scrum 指南》在 2013 版的時候，用了短衝預測（Sprint Forecast）取代短衝承諾（Sprint Commitment），但我個人始終還是比較喜歡承諾這兩個字。比較一下這兩句話：「我承諾跟你在一起一輩子。」跟「我預測跟你在一

起一輩子。」哪一個比較有感情？

而該怎麼解釋 Sprint Commitment 的概念呢？

一般來說，在短衝規劃會議上，開發團隊會依照 PO 給的 Items 優先順序，從最高至最低開始自行選取，一直選到大家覺得再增加便會超過可以負荷的工作量為止。這期間，團隊所拿取的所有 Items，就叫 Sprint Commitment。甚至有些團隊還會訂出 Sprint Goal（衝刺目標），以求這段時間內整個團隊聚焦於某個 Items 上。

很多 PM 或主管聽到 Sprint Commitment 時都會眉開眼笑——終於可以逼著團隊吞下任務，且產品也可以準時完成啦！

但，真的是如此嗎？

常見的場景是所謂的 SM 在短衝檢視會議的時候，拿著一疊 Commit Items，指著大家鼻子問：「為什麼沒做完？您們不是已經承諾要做完了嗎？」

這樣的 Sprint Commitment 效果，可能跟山盟海誓是差不多的。在年少熱戀時彼此許下相愛到老的感情債，可能用上十輩子都還不完；但沒多少人會在分手後去質疑：「當初您口口聲聲說死後要葬在我家墓園，為什麼墓園還沒蓋好就變心了？」因為有智慧的人都知道：環境和心境都是會隨著時間改變的。

承諾只有在當下有用，之後隨時都會變卦。

同樣的，Sprint Commitment 也是在短衝規劃會議的當下，依照目前所知的訊息，作出有根據的猜測（Educated Guess）。

在 Sprint 進行中，可能因為做不出來（能力局限）、需求不對（訊息錯誤）、網站被攻擊（外在環境改變）、工程師狀態不佳（人員變動）等種種原因，造成當初的猜測不符合現實。

所以 Sprint Commitment 達成與否，是用來「改善」的依據，而不是用來「指責」的工具！

PO 聽到這，可能會哭出來：如果我有東西一定要上線怎麼辦？

事情沒那麼悲觀。

敏捷開發的模式是確保價值高的功能先被產出，而誰決定價值高低呢？就是 PO 呀！所以價值高，時程緊的 Item 要往上面排，讓開發團隊一開始就從價值最高的產品開始進行，而不可以選自己最喜歡的開始做。

弄清楚事情的輕重緩急是 PO 必備的核心能力。對此，PO 可以善用「時間管理矩陣」來排出先後順序。

然而從另一面來看，永遠可以達成 Sprint Commitment 的開發團隊，就代表沒問題嗎？

這其實是意味著團隊在打安全牌——團隊不願意去挑戰自己的能力，而選擇待在舒適圈中。然而，打安全牌的團隊距離自組織是有段距離的。因此利用外部壓力強迫開發團隊吞下 Sprint Commitment，只會增強團隊打安全牌的行為。

所以，面對 Sprint Commitment 和 Sprint Goal 的心態，應該是：盡人事，聽天命。因上盡力，果上隨緣。當大家都盡了力向目標衝刺，就算沒達到

目標，也會是個美好的記憶和學習的機會。

最重要的是，不管 Sprint Commitment 達成與否，團隊都要自問：

> 「這次發生了什麼？」
>
> 「我們已經盡力了嗎？」
>
> 「我們下次要怎麼改善？」

敏捷夥伴迴響

> 江致平　Leo Chiang　新加坡商鈦坦科技／部門主管
>
> 看完這本書後，回想起許多過往一同參與改善的過程。

比起單純的推薦文，我想要分享一個故事，是關於在敏捷型組織中應有的「讓問題浮現出來」的心態實例。

這是去新加坡時遇到的故事，當時是由 4 個 Scrum team 共同開發一個產品，所有的團隊都是融合了台灣與新加坡夥伴組成，實際上是由七、八個國家組合而成的團隊，除了工作外，還可以學習各自的國家文化。

在初期大家都熱血衝刺，單元／整合測試大家都建立得非常完整，每一個 commit 都會跑過相對應的測試項目。

但隨著時程漸漸進逼，時常就會聽到 CI 測試失敗的嗡嗡作響，不是沒有在 commit 前就做好確認，就是產生程式衝突的情況。CI

嗡嗡作響時大家都忙於手邊的討論與進度而忽略了我們當時設計的保護傘機制。

我注意到一位資深開發夥伴站起身來走向 CI 的喇叭，我內心想著他應該是受不了要去把喇叭關閉掉了，但他卻反其道而行的把喇叭的聲音開了最大聲，確保每個人都有聽到我們的保護傘正在被破壞著。

也因為這個把問題浮現出來的改變，讓所有夥伴正視這個我們遇到的問題。導入敏捷時，很多時候沒辦法一次到位地做好，比較多的情況是先讓問題浮現在每個人的眼前，再來解決。

因為解決問題最好的步驟是要先面對它，確認而且認知到它是真的需要被解決的問題。 ""

5 敏捷團隊的打造

您的團隊,是團還是隊?

我們常說「團隊」、「團隊」,但其實一群人在一起只是「團」,要有了共同目標才能稱得上是「隊」。

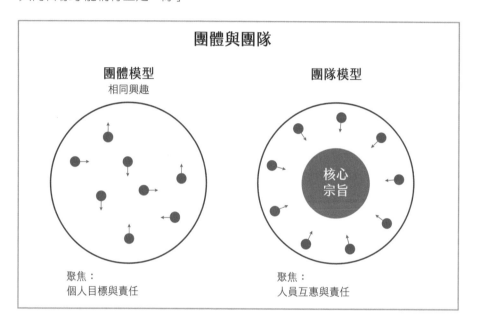

我們談了敏捷團隊中的角色、物件與活動以及精神,最後,我們來回顧一下本章重點。

敏捷開發是以團隊為運作的核心,其對團隊的組成有幾個要求:

（1）團隊需要有共同目標

如果團隊沒有共同的目標，那就只是一群人，不能稱之為團隊。比如餐廳通常會分為內場（烹調）、外場（點餐、送餐）、櫃檯（接待、訂位、結帳），這三種團隊分別提供不同的產品或服務給顧客。內場團隊的共同目標是做出好吃、衛生的食物；外場團隊的共同目標則是提供良好的用餐環境；而櫃檯的共同目標便是減少顧客的等待時間。顧客來餐廳是為了完整的用餐體驗（訂位、接待、點餐、烹調、送餐、結帳），所以儘管這三個團隊各有各的職責，但這三個團隊的共同目標是提供給顧客完美的用餐體驗。

（2）團隊可以自行交付端到端（End to End）的產品或服務

為了能更快地接收市場的變化狀況，團隊需要有足夠的自主權，以便能針對所提供的產品或服務進行改善。當然在現實中百分之百的端到端是有難度的，但這是敏捷所追求的終極目標。

比如：傳統軟體開發中分為前端團隊與後端團隊，不論那個團隊，如果需要依靠另一個團隊才能完成產品——這就不符合敏捷團隊的要求。能夠獨立對客戶交付端到端產品或服務的團隊，在敏捷中稱之為特性團隊（Feature Team），反之則稱為組件團隊（Component Team）。

接續上述餐廳的例子，端到端是指顧客的完整用餐體驗（訂位、接待、點餐、烹調、送餐、結帳），不管是內場、外場或是櫃檯都不算是特性團隊，只能稱為組件團隊。

但如果有一家餐廳，不以內場、外場、櫃檯職能區分團隊，而是以顧客用餐體驗來組成團隊（比如鐵板燒一個用餐區域有一個廚師搭配一個外場人員），那這個團隊就是特性團隊。

（3）跨功能的團隊成員

為了能更好的響應變化，並帶給顧客更好的體驗，敏捷團隊的成員必須可以互相支援。

延續餐廳的舉例，假設外場人員能在必要時協助烹調，或櫃檯人員能在必要時幫忙點餐，便可以提供給顧客更順暢的體驗。如果成員有各自負責的專責業務，無法或不能在需要時互相協助，那都不算是敏捷定義中的團隊。

（4）穩定的團隊組成

敏捷強調的是經由迭代、實驗、試錯中探尋更好的方法。然而這些學習與經驗比較難被記錄甚至文件化，以供未來的成員吸收；而傳統有標準作業流程的工作，是可以經由文件或教學補足的。因此在敏捷中，我們會希望團隊的成員保持相對穩定的時間，讓團隊成員的默契得以磨合。由此可知，傳統專案管理中的資源池（Resource Pool）在每個專案抽調替換不同的成員，在敏捷中是相當不建議的作法。

簡而言之，為了更好的應對變化和增加企業的可持續性，敏捷團隊的核心便是：

- a 擁有共同的目標
- b 自行交付端到端的產品或服務
- c 跨功能的團隊成員
- d 穩定的團隊組成

當然，在工具上也希望依照 Scrum 或看板的方式來運作。

不過，最後仍是要提醒，「敏捷轉型」是營養品不是仙丹。儘管敏捷可以協助企業有效與低風險的轉型，但其中最大的困難是——領導者觀念的轉變。領導者是否能接受失敗並從中學習？是否能接受效果重於效率？是否能接受讓員工有更大的空間與自主性？

當領導者願意接受上述這些思維，並配合敏捷中的工具和框架，就可以慢慢調整企業的體質，這不僅可以讓組織更加健康，擁有更高自主和高效能的團隊，且能提供更有價值的產品和服務給用戶。

敏捷夥伴迴響

> 陳超　Chen Chao　中部再不敏捷就老了翁

作為在鈦坦的一員，謝謝 Yves 導入敏捷，有幸親身參與了過去 6 年的敏捷轉型。Yves 的書寫深入淺出，雖然有大量的概念和工具，但是配合舉例和類比，很容易理解。我也想提出一些敏捷的看法作為補充：

Scrum 執行的核心是團隊，是由開發團隊、PO 和 SM 組成。我就從這幾個角色說起。

第一個是開發團隊。Scrum 的開發團隊要求是由 cross-functional 的成員組成一個 feature team。這裡的 cross-functional 並非是說每個人都要會所有的技能，而是團隊在比較小的人力配置下要有能力獨立完成產品的交付。（團隊的人力配置我的建議是 5 人為最好）。在台灣，這對招募而言頗具挑戰。因為大部分企業培訓出來的

都是專才，且越資深可能越獲益於他的專才而阻擋了學習其他技能的動力。這樣的人更適合做顧問而不是敏捷開發團隊的一員。

第二個是 PO。PO 可以非常忙碌，要做傳統的 PM，要做 QA，要做客服。這是我看到很多轉型初期的 PO 都會用這樣的事情塞滿自己的時間，從而證明自己的價值。但是在敏捷裡面的 PO 其實只有一項逃不掉的職責：給產品故事排序。他的所有行為都應該為給產品故事排序服務，而其他的事情都應該交付於開發團隊。

第三個是 SM。這個角色 Yves 定義成【僕人式的領導者】。但是我觀察到大多 SM 都最後成了僕人，而不是領導者。兩者最大的差別在於：是否有自己的意志參與在團隊的建設與發展之中。通常 SM 重於和開發團隊的溝通，而忽略了他可以並應該照顧的其他幾個面向：PO、組織和技術實踐。所以從這個方面說，一個有過管理經驗的 DM 擔任 SM 在這方面通常是具有優勢的。

最後是 Scrum 團隊。雖然 Scrum 的框架大概學習 1、2 天就可以大致了解。但是真的要讓團隊能夠做到，每一個都是很有挑戰的。對於一個好的 Scrum 團隊，就如 Bas 在他的 LeSS 書中說的，主要基於兩點：

1. 持續學習的能力

2. 尊重與信任

Chapter.4
團隊戰術

如何更加享受敏捷旅程

你今天拜飛機了嗎：談敏捷裡的貨物崇拜

知行合一才是真敏捷

如果您世世代代都住在一個被大洋環繞的小島上的村落，靠著採集和捕魚為生，村子中最先進的科技是獨木舟，有一天，突然看到飛機飛過頭頂，您的心裡會怎麼想呢？

二次世界大戰時，美日兩國為了爭奪太平洋的制海權和制空權，紛紛在汪汪大洋中、既偏遠又與世隔絕的島嶼駐軍。軍隊開到時，島上的村民眼看著海上的超級大箱子（軍艦）靠岸，大鳥（飛機）從頭頂飛嘯而過，還有神仙（士兵）從大箱子和大鳥走出來，下巴都掉到闔不起來。

如果我在現場，一定覺得神仙降臨來處罰世人，世界末日要到了！幸好這群神仙不但沒有處罰世人，還賞了不少寶物給村民，如生病時吃了就痊癒的仙丹、會變出食物的盒子等等。當世界大戰打得如火如荼時，這是村民世代以來過過最好的日子，根本就是身在天堂啊！

可惜好景不常，幾年後世界大戰結束了，這些島嶼的戰略價值消失，軍隊慢慢撤出。村民眼看著神仙們走光，剩下來的寶物也越來越少，心中越來越著急，怎麼辦呢？這時就有聰明的村民說了，一定是神仙覺得我們不虔誠，只要我們表現出敬意，神仙就會回來賞賜我們寶物的！

數十年後，當人類學家到達這島嶼上，發現村民用樹木打造出飛機、刻出步槍、在身上畫記 USA，模仿當時駐軍做的事情，還在期待有一天神仙回來帶給他們寶物。人類學家把認為模仿表象（木頭飛機）就能帶來實質利益（藥品食物）的行為稱作「貨物崇拜」。

聽起來很天真、感覺只會發生在荒島的貨物崇拜行為，其實經常發生在身邊的對話裡。

基本句型是：「『只要』做一個行為，『就會』得到您要的結果。」

企業組織內這種「萬用句型」還不少——

> 「要怎麼樣賺錢？」
>
> 「只要毛利抓 3%，我們就會比紅海更紅喔！」
>
> 「要怎麼樣創新？」
>
> 「只要讓每個人有 20% Time，我們就可以跟 Google 一樣金頭腦哦。」
>
> 「要怎麼樣讓大家表現更好？」
>
> 「只要有績效考核加上 KPI，我們就會比政府更有效率喔！」
>
> 「要怎麼樣更了解市場？」
>
> 「只要用 Big Data，我們就可以做出外星科技喔！」
>
> 「要怎麼樣更快做出產品？」
>
> 「只要跑敏捷和 Scrum，我們就會比 facebook 更快喔！」

遇到這種句型，可以先檢視一下因果關係是否正確，如毛利 3% 是結果，還是原因？如果可以賺 4%，還堅持只賺 3% 嗎？

就算因果關係無誤，也可能會有過度簡化的問題。舉例來說，Google 的創新除了 20% Time 政策，背後原因還可能加上有辦公室設計、特地挑選有創意的人、升遷方式等等，將 Google 創新直接等同 20% Time，無疑是把複雜的動態系統關係簡化成線性關係。

回到敏捷的討論，相信跑過敏捷的團隊，或多或少也聽過類似的話。

> 「要怎麼樣做好產品？」
>
> 「只要我們用使用者故事（User Story）寫需求，顧客就會愛死我們的產品喔！」
>
> 「要怎麼樣進步？」
>
> 「只要我們每個禮拜都開自省會議（Retrospective），我們就會天天向上喔！」

我認為想跑敏捷又想跳脫貨物崇拜，最重要的是要「自我覺察」。

那麼，要怎麼覺察自己的團隊有沒有貨物崇拜作祟呢？

Stefan Wolpers 整理了一份敏捷貨物崇拜清單（The Cargo Cult Agile Checklist），經作者同意後翻譯成中文如下，一起來看看我們的飛機拜得有多虔誠吧——

敏捷貨物崇拜清單（簡稱拜飛機清單）

本清單假設組織使用 Scrum，但也適用於使用其他的敏捷方法的團隊。以下問題如果符合組織的情況，請回答「是」。（備註：組織越大可能越不適用

本清單。)

這是一個很有趣的活動，試著把清單列印出來，花個五分鐘讓團隊中的每個人作答，依照結果分析和評估一下目前的狀況。

1. 沒有溝通產品願景和策略

2. 產品藍圖和發佈日期在一年前就由首席技術官（CTO）規劃好了

3. 組織內沒有人跟顧客對談

4. 首席技術官和利害關係人堅持所有的改動都要經由他們批准

5. 因為保密資安等理由，禁止使用實體的看板或告示

6. 利害關係人直接跟首席技術官對談，跳過產品負責人

7. 由利害關係人來決定交付產品增量，而不是產品負責人

8. 專案／產品只有在完成時才交付，而不是增量式的交付

9. 避免利害關係人直接跟開發團隊對談

10. 產品待辦清單是由一個產品委員會決定的

11. 就算對功能的價值有所懷疑，但還是硬著頭皮開發

12. 業務為了成交，答應客戶增加目前不存在的功能，而產品負責人並不知情

13. 就算是不重要的問題，也有固定的進度表和期限

14. 負責產品管理的角色沒有取得商業智能（BI）資訊的權限，沒有充足的資訊和數據幫助決定

15. 利害關係人使用需求文件來和產品與工程部門溝通

16. 產品負責人大部分的時間都花在撰寫和管理使用者故事上（User Stories）

17. 在短衝開始後不久，短衝待辦清單就變了

18. 專門成立一個開發團隊來修程式漏洞（Bugs）和處理小的需求

19. 利害關係人沒有參加過 Scrum 活動（例如短衝規劃會議和短衝檢視會議）

20. 主要是用「速率（Velocity）符合當初的承諾」來當指標評估 Scrum 是否成功

21. 開發人員沒有參與創造使用者故事

22. 同時處理的專案數量和工作會改變開發團隊的人數跟組成方式

23. 在每日站立會議中，團隊成員向 Scrum Master 報告

24. 定期舉行自省會議（Retrospectives），但沒有改變隨之發生

25. 開發團隊並不是跨功能（Cross Functional），而要靠其他團隊或部門才能完成工作

　　敏捷沒有任何一套引用後就可自動在組織裡運行順利的不變法則，任何團隊都必須要找出屬於自己的敏捷方式，在此之前，嘗試用其他組織曾經成功的方法，如果別人的方法對自己的團隊有用，那太好了，就繼續用吧。如果沒用，再試試其他方法。更改甚至是取消標準的敏捷儀式也是絕對沒問題的。如果您看到其他合適的實踐方式，就別遲疑了，大膽依照組織的情況修改試用吧。「知行合一」才是真敏捷！

談了這麼多真假敏捷的辯證，到底該怎麼做才是真正的敏捷呢？坊間有許多敏捷指南提供清楚的歷程，本書的前一個章節也詳細地介紹了物件與活動，接下來，本章節將提供「做敏捷」的核心思考與關鍵方法。

2

敏捷不包生導入指南：企業敏捷化前的準備

跑假的敏捷，不如跑真的瀑布

當我們願意成為一個「知行合一」的人或團隊後，我們就開始會有個疑問：「那具體而言，到底如何導入 Scrum ？」如果您已經做好了心理準備，以下是我經歷過的導入方法，提供給大家參考：

（1）找革命夥伴

所謂「孤掌難鳴」，一個人要推動改變，是件很累、很難的事情。因此，一定要找團隊裡有興趣的同事一起參加訓練和討論，並且最好能找到主管或老闆來襄贊活動，推動改革。畢竟有貴族參加，會大幅增加革命成功的機會。

那，如何說服主管呢？

引用既有的成功例子，激起主管的嚮往。如：「Google、Facebook 都是跑 Scrum 的成功案例，既然這些公司一向是業界的領頭羊，用他們成功的方法，我們一定學得起來……」等等。

那如果實行後失敗了呢？

是啊，革命失敗，烈士可是要殺頭的，不過怕死的話，就當個順民或移民就好了。願意投身敏捷，不正是因為我們對組織的改革有著破釜沉舟的決心？那麼對革命夥伴來說，「失敗後擔得起責任」這個前提還是必要接受的。

（2）上課

什麼？

我們從小就在上課，現在出社會了還要繼續上課？

而且課程也太貴了吧？有沒有便宜一點的方法？

等等，有人仔細歸納整理他們的經驗，還壓縮在兩、三天內傳授，這樣還不便宜嗎？

沒有錢嗎？俗話說：「錢不是萬能，但沒錢萬萬不能。」沒有錢，就算有決心改善，我只能說：「不如直接放棄算了。」

未來的路還很長，如果連教育訓練的錢都不投資，公司的轉型路將會走得更加辛苦！

決定好要投資自己上課了嗎？

我自己上過而且建議的課程有 Teddy 的公開班，或是 Odd-e 在香港或上海的公開班。這部分推薦給敏捷的推動者和關鍵人物。能夠的話，上兩天以上的 Scrum 實作或敏捷認證的 Certified Scrum Master（CSM）班更好，因為一天的課程深度只適合一般團隊成員入門，要作為推動者用來導入的訓練遠遠不夠。此外，如果還有預算，可以進一步考慮 PMI-ACP 的課，雖然對 Scrum 執行面幫助不大，但對敏捷開發的背景和主流觀點可以更有全面的認識。

（3）找合適專案

合適的專案需要的條件是客戶容易溝通。

時程兩到三個月可看到結果，規模小到失敗或延遲可以接受，大到成功會受老闆重視。

首先，要知道：第一次就順利成功的機會是非常低的。但如果客戶滿意產出，就可以算是初步的勝利了。要執行的話，我會建議從全新的專案開始，這樣歷史的包袱會比較少。

再來，千萬不要跟客戶說要跑 Scrum，因為鮮少有客戶會在意產品公司的工作流呀！那麼怎樣讓客戶自然而然加入敏捷一起協作呢？改變一下說話的方式吧，用「客戶是最了解產品的，我們想跟與客戶多溝通學習」這類的方法。一般來說，讓客戶來排產品待辦清單優先順序，講解產品待辦事項的重要性和原因，針對產出給予回饋，這些舉動對於重視產品的客戶而言，他們都會很樂意的。

具有初步的成功範例和經驗，是之後要推動大幅變革的基礎。

（4）尋找適合的工具

協助企業達成以上三種特性的工具，除了 Scrum 和看板方法等敏捷方法外，還可以運用使用者地圖、最小可行性產品、價值流分析、超越預算模型、開放空間技術和全員參與制等方式。

以下我們將一一説明：

（1）使用者故事地圖（User Story Mapping）

使用者故事地圖，可以幫助我們從使用者的觀點（而非生產者的觀點）來看我們需要提供什麼樣的產品，並在展開產品的全貌後，從中選擇關鍵功能來打造最小可行性產品。

（2）最小可行性產品（Minimal Viable Product，MVP）

最小可行性產品指的是如何運用最小的投入來測試顧客的需求，其最主要的目標是用來降低風險。原因誠如先前提及，現今市場變動頻繁，企業要快速推出產品測試市場的需求，依據市場反應調整產品，當發現產品符合市場需求後再投入資源改善。而不是先自我感覺良好的猜測市場需要什麼，花個兩年的時間做出來後發現沒有人買單。

（3）價值流分析（Value Stream Analysis）

價值流分析是把製造或服務的流程視覺化，找出對顧客沒有提供價值的步驟和時間加以改善，減少流程浪費。這可以幫助我們減少浪費，把時間和資源投入在對顧客有價值的事情上。

（4）超越預算（Beyond Budgeting）

超越預算是 1988 年在英國發起的研究計畫，研究可以取代傳統「命令與控制」的管理方式，主要運用於掌握市場脈動。

由支持者組成的超越預算圓桌會議（BBRT）成員有聯合利華、挪威國家石油、世界銀行（World Bank，WB）、美聯銀行、T-Mobile、瑞銀（UBS）、日本煙草等等企業。他們提出了超越預算 12 條原則還有相關的研究報告。

■ （5）開放空間技術（Open Space Technology）

開放空間技術始於如何讓大型會議的參與者更加投入，而後逐漸演變成一種激發成員熱情和投入工作的管理方法。

擁有超過一億會員的遊戲開發商維爾福軟體公司（Valve Software），其組織架構就是開放空間技術的精神，成員自行找想做的產品並自行組成團隊，這便是善用開發空間技術激發員工熱情。

■ （6）全員參與制（Sociocracy）

全員參與制是設計一套治理工具，使團體有機會在自然系統的啟發下以分權的方式自我管理。其強調在決策過程中能一邊實現團隊使命，一邊確保聽見所有團隊成員的意見。它提供了架構上的創新，讓跨階層的溝通更順暢、資訊流動更透明、授權給最接近顧客的團隊快速反應變化。

《無主管公司》一書中的合弄制，就是基於全員參與制所延伸出來的架構。

但全員參與制比起合弄制更有彈性，也更適合企業實驗性的導入，建構全員參與制，可以讓組織順利運作。

組織要導入敏捷絕不是件容易的事，除了最常見的 Scrum 和看板方法，以上六種很實用的工具箱若能善用，達成企業敏捷化相信絕不是件難事。

　　也許你會說：「我找不到革命夥伴，沒錢上課，專案都不適合，也不會使用這些工具，但我真的很想跑 Scrum 怎麼辦？」

　　對此，我強烈懷疑您對 Scrum 懷有不切實際的幻想。

　　「得不到的總是最美」是正常心理，不過「明知很美卻希望不努力就得到」就實在窒礙難行了。如果以上條件都無法滿足卻想要成功跑敏捷，未免太不切實際了。

　　但，也別那麼快就灰心，畢竟 Scrum 只是敏捷的方法之一，很多 Scrum 技巧都可以先拿來使用。比如說 Daily Stand Up、Product Backlog、Time Box Meeting 等等，這些對於改善團隊效能都有一定的幫助。

　　如果您確定自己對於導入 Scrum 這件事，已有清楚且正確的認知；然而對於尋找革命的夥伴、投資自我的課程、挑選合適的專案這三方面都有困難的話，我想提醒您一件事：「Scrum 最多只能算是營養食品，有沒有用，還是要靠自己的身體狀況而定。」

" **井外的天空**

能認識到敏捷管理，我是感到幸運的。

雖然對敏捷的認識仍處於表面，但卻足以打破在我腦海裡根深蒂固的框架。

我常以為，做事必須要計畫好才能行動，免得遇到問題時已太遲。因此，我樂於制定計畫，預想在執行中可能產生的問題及到時又該如何解決等，希望通過計畫把事情做得盡善盡美、萬無一失。但結果往往是，在尚未行動或還沒讓團隊開始執行之前，我就已先質疑其可行性，或感到受挫、失去信心，因為計畫中不是缺乏某個資源，便是各種假設性的問題發生。敏捷，告訴了我們「先求有，再求好」，利用現有的資源開始行動，邊做邊調整、邊改善，不把時間精力浪費在不存在的問題裡，實事求是。從開始的不明白，到後來看到了「先有」的效果，學習彈性與靈活去應對，方意識到設想太多是在侷限事情的發展，亦抹殺了無限的可能性。

別活在想像中，踏出第一步後，自然知道如何完成接下來的每一步。

"

3 也許你需要的是多一點瀑布：敏捷八不

> 企業文化會把營運策略當早餐吃掉。──彼得·杜拉克

（1）敏捷不是消滅主管，而是要主管做好主管該做的事

（2）敏捷不是十項全能，而是當團隊需要的時候願意出手

（3）敏捷不是顧客第一，而是緊緊抓住市場變化的脈動

（4）敏捷不是一切透明，而是容易取得幫助工作的資訊

（5）敏捷不是共識決，而是蒐集意見後做出高品質的決定

（6）敏捷不是反官僚，而是由做事的人設計流程解決問題

（7）敏捷不是花大錢教育訓練，而是在工作中反思和成長

（8）敏捷不是心靈成長夏令營，而是學習面對殘酷的現實

回顧鈦坦的敏捷轉型史，如果可以重來，我們也許會改變一些做法，讓導入更為順暢。而「敏捷八不」就是我在這一些回顧中得到的想法，也是我對導入敏捷前的核心思考，接下來——細說：

（1）敏捷不是消滅主管，而是要主管做好主管該做的事

鈦坦科技導入敏捷初期，我們就把團隊的管理職：組長（Team Leader）取消了，現在回想起來，要深深感謝當時擔任組長的夥伴給予理解和支持，讓我們順利走過轉型的過渡期。但現在的我不由得要說，這確實是一招險棋，在大部分組織中，像這樣雷厲風行的手段，也許會遭遇到很大的阻力和難以承擔的後果。

如果一切可以重來，我們也許不會取消全部的組長職務，而是讓所有組員都有輪流擔任組長的機會，讓擔任組長的人做回主管該做的事情。有了組長的領導經驗，成員就能夠更理解公司的營運情況，這也是訓練部門級主管接班的機會。

然而我們會接著問：「什麼是主管該做的事？」

對齊公司目標和價值觀、發掘人才、爭取資源、幫助團隊內部和跨團隊溝通、協助團隊成員成長、針對組織系統性的問題做出高品質的決策，這些才是主管該做的事。

（2）敏捷不是十項全能，而是當團隊需要的時候願意出手

在剛開始導入敏捷的時候，我們希望團隊中的成員都可以是全端工程師——前端、後端、測試都包的工程師——所以我們取消了前端工程師、後端工程師、測試工程師等職稱，一律改稱為產品開發師（Product Developer）。

此舉的好處當然是打破了職務的藩籬，但也造成大家認為每個人樣樣都要會、事事都要精的誤解，進而讓人產生許多壓力。

如果一切可以重來，我們還是會取消個別的職稱，但會把焦點放在貢獻自己的專長、學習別人的專長上，並且強調在團隊成員需要時主動幫忙這些事項，而不是什麼讓大家以為公司的所有技能都要學。

畢竟，我們需要的是團隊整體的技能可以端到端，而不是每個人的技能都端到端。

（3）敏捷不是顧客第一，而是緊緊抓住市場變化的脈動

〈敏捷宣言〉第三條：「**與客戶合作重於合約協商**」，強調與客戶協作的重要性，而我們做的是企業對企業的生意，所以往往客戶說什麼我們就做什麼。然而，我們卻忘記了：跟客戶協作只是手段，目的是為了幫助生產出來的產品更貼近市場需求、更有價值、銷售可以更好。

而如果一切可以重來，我們會更關注在交付需求後產生的價值，並且和客戶討論復盤每個需求的成效，甚至走到市場去面對真實的消費者，而不是只接收客戶轉來的二手資訊。顧客不是第一，賺錢活下去才是。

（4）敏捷不是一切透明，而是容易取得幫助工作的資訊

在推行透明化的部分，我們做了薪資透明化的嘗試，80% 工程師的薪資都是公開的，當然實踐上有很多細節，如基層中層公開、同一職級同一薪資、獎金不公開等等。然而整體帶來的影響似乎沒有太大的幫助，僅僅節省了眾人煩惱薪資和私底下八卦的時間。

如果一切可以重來，我們會更注重「資訊的整合」，而不只是單純的公開資訊。每個人的時間有限，資訊量太多的結果就是資訊過載，不知道什麼才是重點。這也是我認為主管必須做的工作之一，即幫助團隊處理資訊的過濾、整理和翻譯。

因為透明公開是為了讓工作更有效的手段，不是目的。

（5）敏捷不是共識決，而是搜集意見後做出高品質的決定

Zappos 或 Morning Star 這些被認可為高度敏捷與開放的公司，在團隊和部門還是有在營運上決策的角色。而敏捷式組織的制度如合弄制（Holacracy）和全員參與制（Sociocracy）中，每個團隊也都有一位角色專職做營運面的決策，在合弄制稱為領導鏈（ Lead Link ）；全員參與制中則稱為營運領導（Operational Lead）。

我們在導入敏捷後取消組長這個職稱，並且立即跟團隊說：「現在開始您們就自組織，自己做決定。」想當然爾，結果慘不忍睹。團隊成員不是花了過多時間討論而沒有共識，就是沒有人帶頭做決定，出事了便推託：「這是團隊決定的！」的情況發生。

如果一切可以重來，我們會先跟團隊介紹認可決（Consent）的概念，也就是詢問是否有反對的意見，讓反對意見來完善提案，直到對於眼前決議沒有重大反對意見時就先實行，過一陣子再來回顧結果。認可決與共識決最大的差異，在於共識決是全部都支持，認可決是沒有反對。在行事的制度上，我們分成治理和營運，治理面（如制定遊戲規則）的事情就使用認可決；營運面（如按照規則玩遊戲）的決策則是由主管（或是組長、領導鏈、營運領導等）參考大家意見後拍板決定。但切記絕對、絕對不要使用共識決──畢竟不是每個人對工作都有相同的投入和風險承受度。

因此，跟組織的命運越高度相關的人，決策權力應該越大。如果團隊中沒辦法使用認可決，那就恢復傳統的方式——由主管決定吧。

■ （6）敏捷不是反官僚，而是由做事的人設計流程解決問題

我接觸敏捷後，原本想像的是一個「扁平而無層級的烏托邦世界」，但回到現實面，當組織人數增多，為了整體營運的有效性，需要有抽象的層級出現來整合與調度資源。此外，越接近顧客的層級，所處理的事務越具體；而越遠離顧客的層級，所處理的事務便越抽象。

如果一切可以重來，我們的重點不會放在如何消滅官僚科層（Bureaucracy）系統，而是放在如何讓科層系統更有效運作、如何讓資源更有效整合、如何讓資訊可以更暢通、如何讓第一線的人有更大的權限以提供服務給顧客等。

總之，官僚系統沒有錯，官僚心態才是真正的問題。

■ （7）敏捷不是花大錢教育訓練，而是在工作中反思和成長

我認為敏捷轉型的最終目的，就是為了變成學習型組織。

為此，公司也花了很多資源和時間讓伙伴上課和參加教育訓練，甚至產生了過度學習的症狀：上很多課、看很多書、聽很多分享，但完全來不及消化和吸收。

如果一切可以重來，我們會更注重在如何解決工作上的問題、日常工作上的學習和成長，而不是只關注提供教育訓練的機會。

能為組織帶來改變才算真的學習，否則無異於自欺欺人。

（8）敏捷不是心靈成長夏令營，而是學習面對殘酷的現實

在我們導入敏捷後，發現敏捷非常需要有效的溝通，因此我也主動參與一系列的溝通課程，包含焦點討論法 ORID、人格特質分析 DISC、教練、引導、薩提爾等。其中 DISC 和 ORID 的課程隨後便引入鈦坦公司，並成為每年固定開放的基礎內訓課程。

當然，這些都對我個人的成長有很大的幫助。然而從成本效益來看，除了基礎的溝通課程，老實說，我沒有特別感受到趨近心靈層面的課程對組織帶來的收益。更糟糕的是，這樣的課程往往會讓大家有一種「您得重視我的感受」的期待。

但這些溝通和心靈課程是用來要求自己，不該是拿來要求別人的呀！

如果一切可以重來，我們將會更著重在如何面對衝突，甚至製造健康的衝突，以建立就事論事的文化。

當然，我的意思並非鼓勵大家「不要重視別人感受」，而是在工作上討論事情、看數據，本來就是現實。表達方法當然可以調整得更加溫柔細膩，但現實並不會因為我們感受不好就不存在。

以上，是從我自身心酸血淚的經驗中體悟的「敏捷八不」。

要導入敏捷的朋友不妨將這「敏捷八不」當作轉型的核心思考，可以在轉型的過程中收事半功倍之效。

敏捷夥伴迴響

王蕙慈 Angela Wang 軟體小小兵

踏入職場的第一份工作就來到了以敏捷為核心的科技公司（鈦坦），打破了許多在學期間所認為「應該要這樣」的想法，在這樣的環境薰陶下，不僅讓我的心境思維比以往開放，看到了更多的可能性，也讓我能坦率地面對並擁抱每個挑戰及改變。

現在的我享受且期待著每個週期產出的成果，不，應該說我喜歡的是那個一天比一天更進步的自己！

再對準一點：關於校準這回事

校準意圖（Why），開放做法（How）

員工報到前與老板的對話……

老闆：萬分歡迎，沒有你我們的公司肯定大不一樣！

職員：如果工作太累，搞不好我會辭職的

老闆：放心，我不會讓這樣的事情發生的！

職員：我雙休日可以休息嗎？

老闆：當然了！這是底線！

職員：平時會天天加班到凌晨嗎？

老闆：不可能，誰告訴你的？

職員：有餐費補貼嗎？

老闆：還用説嗎，絕對比同行都高！

職員：有沒有工作猝死的風險？

老闆：不會！你怎麼會有這種念頭？

職員：公司會定期組織旅遊嗎？

老闆：這是我們的明文規定！

職員：那我需要準時上班嗎？

老闆：不，看情況吧

職員：工資呢？會準時發嗎？

老闆：一向如此！

職員：事情全是新員工做嗎？

老闆：怎麼可能，你上頭還有很多資深同事！

職員：如果領導職位有空缺，我可以參與競爭嗎？

老闆：毫無疑問，這是我們公司賴以生存的機制！

職員：你不會是在騙我吧？

如果你報到後，請一句一句從下面往上看。

口不由心，言行不一，我覺得是對組織和成員都是很大傷害，因為那會讓事情變成由潛規則在運作，新進的人無所適從，因為牆上的標語和實際期待的不同。我認為與其說些言不由衷的話，不如就是把我們的期待直接說出來，比如我們就是唯利是圖，或是我們就是工作第一，不管普羅大眾怎麼看，只要有合適的待遇，總是會有個人期待跟公司目標差不多的人願意加入。但如果心口不一，招募進來後的磨合是很痛苦的。

計劃永遠趕不上變化，有時難免事與願違，此時我們就需要回頭看一下〈敏捷宣言〉的最後一條：「**回應變化重於遵循計劃**」（Responding to change over following a plan.）。

因此，這邊我們要細說如何應對轉型過程中理想與現實的落差，也就是說，我們需要細談「校準」這回事。

「校準」這個概念，最早出自於《不服從的領導學：不聽話的員工，反而有機會成為將才》（以下將以《不服從的領導學》簡稱之）一書，其中提到組織其實有很多政策暗合敏捷精神，而其中，「校準（Alignment）」是影響我最大的一個管理概念。

敏捷開發中強調做「有價值」的事，「有效」重要過於「效率」（Effectiveness over Efficiency）。對此，我認為價值本來就是主觀的東西，沒有對錯，因此「校準」會比「價值」更重要。

組織的方向是節約成本還是研發創新為主？是創意開放或是流程至上？不一樣的目標，具體的做法就會不同。如果每個部門往公司的方向對準，每個團隊往部門方面對準，每個成員往團隊方向對準，整體而言就會幾近於無懈可擊。

阻力無所不在

在組織中，其實很多政策都是為了校準──確保下級單位有把上級的目標放在心裡。比如 KPI 就是用胡蘿蔔與棒子的思維來校準。

但為什麼過往歲月我們花了許多心力在校準，但結果往往跟我們想的不一樣呢？《不服從的領導學》中，舉用戰爭迷霧的例子解釋這個情況：戰爭中敵人動向不明、與自己人的聯繫也不穩定、團隊中還有絕對少不了的豬隊友，這些種種因素都是「阻力」。而這些阻力會造成落差，妨礙我們達成目標。

所以我們需要做的是：減少阻力。減少阻力，就可以減少落差。《不服從的領導學》一書中，把執行的過程分為三個部分：計畫（Plans）、行動（Actions）、結果（Outcomes）。而三種落差就介於這三個部分之間。雖然此處主題是「校準」，但另外兩者的落差不難理解，我就一併介紹吧。

校準落差：計畫和行動的差異
── 我們想要大家做的事 V.S. 實際上大家做的事

一般人減少校準落差的方式，就是把指令（Instructions）說得更清楚，讓下屬一步步照做。

作用落差：行動和結果的差異
── 我們預期行動的作用 V.S. 實際上行動的作用

減少作用落差的第一反應，就是更仔細的去控制下屬作業的過程，也就是俗話說的微管理（Micro-management）。

知識落差：結果和計畫的差異
── 我們想要知道的 V.S. 實際上我們知道的

減少知識落差（結果和計畫之間的差異）的一般做法，是想辦法得到更多資訊再來做決定。

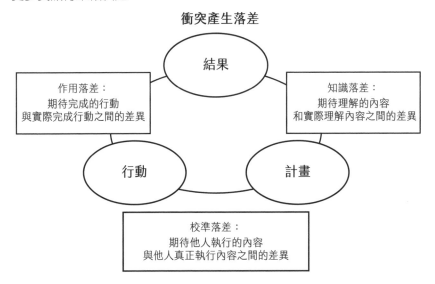

衝突產生落差

十九世紀，德國名將老毛奇在進入總參謀部後，徹底將德國的軍事思想、後勤、教育、武器做了一番改革，他讓普魯士有足夠的軍事底氣統一德意志，還打趴了當時的強國法國和奧地利。

老毛奇最大的影響是改變了戰爭的面貌——從以前靠個別將領打仗的思維，變成靠整個系統來打仗。

《不服從的領導學》的作者參考了老毛奇的文章和策略後，總結出在戰爭中有效縮小落差的方法，我認為這些方法對企業營運也有幫助。

用簡報和反向簡報來減少校準落差

首先，老毛奇減少校準落差的做法是反直覺的——並非擬出詳細的計畫後要求下屬照著計畫走。要減少校準落差，反而是上級只要說明自己的意圖（Intent），讓下屬單位自己想應該如何去執行。

在企業營運方面，具體的做法是運用簡報（Brief）和反向簡報（Back-brief）。

簡報是用來在往下交辦事項時清楚說明意圖，明確表達「想要達成什麼和為什麼」（What and Why），然後說明上層或兩層單位的意圖，讓下屬了解脈絡後，再加上限制或範圍。

而反向簡報則是由下屬來做，內容是「打算如何（How）達成上層的意圖」。

可以藉由簡報和反向簡報這樣的方式，來看看上下雙方的意圖有沒有校準。

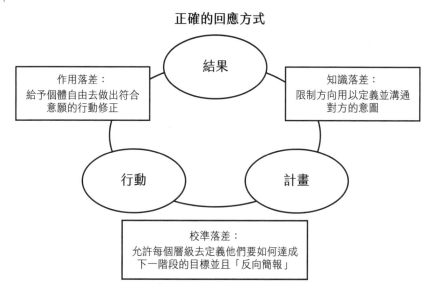

正確的回應方式

結果

作用落差：
給予個體自由去做出符合意願的行動修正

知識落差：
限制方向用以定義並溝通對方的意圖

行動

計畫

校準落差：
允許每個層級去定義他們要如何達成下一階段的目標並且「反向簡報」

讓下屬有現場決定權來減少作用落差

這讓我想到的是 Scrum 中產品負責人與團隊間合作的關係。

產品負責人說明意圖，團隊提出做法，而短衝規劃會議和短衝檢視會議都是讓雙方意圖進一步得到校準的機會。此外，引導也是重要的一環，讓下級單位敢於反應他們取得的資訊和想法，上級才可以依照現況調整計畫和意圖。

為了減少作用落差，老毛奇認為：應該讓每個層級都擁有在授權範圍內自我判斷的能力。因為戰場瞬息萬變，讓最接近戰場的人依照上層意圖，然後因應現場情境來做判斷最合適。如果凡事都要彙報，等上級裁示再反應，可能在準備匯報前，軍隊已經先被敵人打垮了。我覺得這便是呼應 Scrum 中對團隊自我管理的要求。

這點説起來簡單，但具體做法最困難，因為這需要的是平時的練習和實實在在的授權，不過，敏捷團隊或許可以經由反思會議來提升團隊的決策能力。

不過度計畫來減少知識落差

老毛奇在減少知識落差方面，並不是去收集更多細節，而是按照可以得知的訊息來做規劃。

因為在德國軍隊裡，大家都知道：計畫只會存活到第一次與敵人接觸時，所以不需要花太多無謂的心力在準備計畫，而是要處於隨時可以調整計畫的情況中。

在敏捷開發中，許多的做法都符合「不過度計畫」這個原則。比如不過度設計（Over-design）、用迭代（Iteration）來演化做法、產品精煉會議中的事項（Item）排序由清楚到模糊等。

雖然我們無法保證轉型的歷程一定順利，而且導入敏捷的過程中一定會遇到重重阻力，但當我們擁有「校準」這個概念時，就可以把損失減到最小，因為校準能幫我們減少落差。因此，學習校準也可以算是敏捷的表現之一。

敏捷夥伴迴響

唐國勳 Tony　彥星喬商廣告傳播事業群　數位長

　　敏捷是一種態度，追求的不是極端，而是團隊適應能力的最大展現。

　　所有人都能是獨立的個體，但同時也能成為相互搭配的高效團體。

　　擁有敏捷的觀念是趨勢，但更需要的是搭配執行的勇氣。

　　因為只有想，永遠都不會成功。

5 閉嘴也不錯：快速估算需求

計劃本身不值錢，制訂計畫卻很重要

前蘇聯最有名的就是計劃經濟，由國家來調查人們需要什麼，再決定工廠要生產什麼，接下來就是按照計劃精準執行。有次蘇聯舉行國慶遊行，沿著大街開來了炮兵、機械化步兵、坦克、火箭炮、戰術導彈、戰略核導彈，破壞力一個比一個大：隊列末尾卻是兩個帶公文包的矮子。

在看台上布里茲涅夫驚訝地說：「這兩個人破壞力比核導彈還大！他們是什麼人？」

特務頭子說：「不是我的人。」

國防部長說：「沒見過他們。」

蘇聯總理說：「他們是國家計劃委員會的。」

最後蘇聯垮臺的原因，很大的因素也是因為計劃經濟所引起的，這種號稱指令型的經濟體制，對生產、資源分配以及產品消費等事先進行精細的計劃，然而最後卻造成國民連雞蛋、麵包等日常用品都買不到。

敏捷不做計畫經濟這種長遠精細的規劃，在敏捷中強調的是長程的願景和方向，只要一個粗略的計劃，隨著時間的推進再把計劃逐步細緻化即可，因為過程中隨時可能遇到改變，也可能收集到更多有助於規劃的資訊。這也是為什麼艾森豪將軍曾說：「計劃書本身不值錢，但制訂計劃卻很重要（Plans are nothing, planning is everything）！」

有次在玩 Taco 桑的敏捷積木遊戲（Scrum Lego Game）中，當中需要預估所有需求（Story）的規模大小，利用 T-Shirt Size 方法將需求卡片一一歸類到 XL、L、M、S 尺寸。

其中有一個需求是要蓋市長紀念碑，團隊估算後把它放到 S，但最後完成它卻花了我們一整個短衝的時間，比其他 XL 的需求花的時間還多。

其他需求預估的大小在實際運行後，也與真正實作的時間相差很多。

後來短衝自省會議裡有夥伴說：「那是因為我們沒有玩積木的經驗，所以才會估計得不準。」

我很好奇地問：「大家在現實工作中，都估計得很準嗎？」

有夥伴回：「如果估不準，怎麼報價給客戶？」

我回答：「接專案怎麼估計我不太清楚，我們是跑論件計酬的工料合約（Time & Material），所以沒有按專案報價的問題。」

現在回想，如果是接專案的公司，說不定可以靠維持穩定的團隊成員，加上接的都是一樣技術和商業領域的案子，用經驗法則或許能做出變異性很低的估計。

面對估計就是不準的現實

在 91 Joey 和 Taco 桑的課程裡，同時都提到過估計不可能準的概念，也提到重點是當我們認知到現實和計劃中的落差時，要做些什麼。敏捷開發中的估算，主要目的是凸顯出團隊成員之間對需求的理解不同，然後藉由溝通更加

理解需求，絕對不是為了追求準確。

一個團隊一定會有資深或是影響力特別高的成員，而其他成員常會與他們迴避衝突，保留自己的想法。為了增進溝通，讓每個人都可以表達出自己的想法，敏捷很多用來估算的工具，都有著避免少數成員主導的特性，或讓只有實作的人員才能估計。

一般最熟知的方法是計劃撲克（Planning Poker），這邊 Teddy 很清楚的說明如何使用計劃撲克估計。而在 Agile 中預估需求的原則可以參考我的〈神啊請讓我估得準一點吧〉這篇文章。

計劃撲克的優點是可以針對個別 Story 詳細討論，很適合在 Story 數量不多時用。

但當一個新的專案開始時，Story 數量通常會超過十個，甚至上百個。這時候如果用計劃撲克來估計就會顯得曠日費時，這時可以用靜音排序（Mute Mapping）就會又快速又可以建立共識。

在沉默中完成估計

有興趣的讀者建議可以先上網看看靜音排序的實作情況影片，會更容易了解，其大致的流程是這樣的：

（1）簡單說明需求內容——如果大家都不了解需求，由了解需求的人大略解釋還是必須的。

建議設定固定時間段（Timebox），每個需求簡單說明 1-2 分鐘，包含彼此問答澄清時間，問答時間只可以釐清需求，不做價值判斷或可行性討論。當

需求的優先順序都還不知道時，不需要浪費時間多討論，因為或許根本不會進行。

（2）開始靜音排序──將寫有需求的卡片隨意散在桌上，由大家依自己想法自行決定排序，放在他認為該在的地方，不可以説話或溝通。

原本做法是由大家自行拿取，但在害羞的團隊，可以要求從最資淺的成員開始，每個人都先移動一個 Story（先只能一個，要不然會有控制慾很強的人霸佔）。不管如何都要動，就算閉上眼睛放都好。大約兩輪後，大家就會敢於按照自己的想法去移動了。此時產品負責人或主管可以控制自己待在原地、不動聲色的話，效果尤佳。

至於這個階段要不要限定時間可以視情況而定，我個人是傾向不設限，因為大家沒辦法撐很久不説話的，所以都結束得很快。那麼，如果有兩個人不同意，一直互相改對方的決定怎麼辦？我的經驗是很快就會有人放棄。

依照情況，可以把規則稍做修改。

比如説，移動時可以自言自語説改動的原因但不可以交談，或者先靜音10 分鐘再開放討論，也或者討論後切回靜音，甚至來回個幾次等等。

要用哪一種方法，端看團隊對需求的了解程度以及彼此共識建立的狀況。

（3）增加╱修改Story

排序後可以開放討論，討論後説不定會有需求需要增加或修改，這時就回到第一步，對有疑義的需求進行簡單的説明再改動。

當然也可以跳過這一步。

最後穩定下來的排序就是大家的共識，卡片寫上估計的大小後收起來，有人不同意也沒關係，可以等到真的要開工前再慢慢吵。

或是放著讓產品負責人來排出優先順序，甚至直接開始做使用者故事對照（Story Mapping）。

不止估計，還有更多

我很喜歡靜音排序的原因是，這工具不只在做估算時好用，很多場合和角色都可以應用。比如以下這些時機：

（1）開自省會議時

請團隊成員各自寫下覺得這短衝階段（好／待加強）的事情在便利貼，寫完後貼在牆上。用靜音排序，越上面越（重要／需要改善）。然後最上面的一個或三個當改善目標。或是用二分法（Yes同意／No不同意），三分法（Yes同意／No不同意／？不確定）等等進行分類。

（2）產品負責人做產品待辦清單排序時

請利害關係人（Stakeholder）參加會議，用靜音排序法排出他們認為的優先順序。值得注意的是，既然叫做優先順序，就要讓每個需求按照 1，2，3，4，5 ……一路排下來，強迫排出順序。如果允許兩個等級的【3】出現，一百個等級【1】的 Story 就會隨之而來，失去原初的目的。此外，完成後記

得謝謝大家的建議，再加上一句：產品負責人會依實際情況再調整。（別忘了，產品搞砸是誰的責任！）

▶▶ 所有大小事

只要是需要建立共識、確保大家理解程度差不多的事情，靜音排序（或其變形版）都是很有效的工具。

只要用很短的時間，不但每個人都可以參與，又最小化表達自己意見的阻礙。小到要訂哪些零食，中午吃什麼，大到整體公司價值觀的凝聚都可以這麼做。

題外話，有次聽到計劃撲克的發明人 James Greening 的演講，他提到雖然他發明 Planning Poker，但現在他都宣導不要用 Planning Poker，直接放在桌上按照數字（1、2、3、5、8、13⋯⋯）排下去就好了，邊放邊討論節省時間。

他的想法是，如果估算一定不準，那為什麼不少花點時間在估算，多花點時間做其他有意義的事情呢？ 不過這還是要看團隊屬性和討論的事項而定，有時用 Planning Poker 幫助溝通仍有其效用。

敏捷夥伴迴響

> ❝ Kyo　無證騎士
> 敏捷是不拘泥於形式，保持開放的態度去適應與成長的思維。 ❞

6　五育中消失的群育：高效會議的方法

會議開得好，團隊沒煩惱

　　我想所有主管都會遇到共同的問題：「團隊決定的和我想要的不一樣怎麼辦？」

　　國中編班時我就讀的是俗稱的「人情班」，意即班上同學的父母大多有「人情關係」，班上的人大概有一半是醫生或學校老師的小孩。

　　這個班級原本的用意是——要好好栽培這群學生考上明星高中，當然，當時的導師也是明星導師，一時之選，且曾有過人情班的最高的升學紀錄——一個 50 多人的班上有一半的人上建中。

　　但這位明星導師帶到我們班卻受到無比挫折，因為我們創下了他人生中的最低升學紀錄。

　　我們班第一次闖出名號，是訓導主任去學校旁邊的電動玩具店抓人，逮回的 15 個人中，有 11 個是我們班上的人——當然也包括我。這件事讓我們班導氣到臉沒地方擺，我們回到班上除了被一頓狠打之外，一群人還跪著上了整個禮拜的課。

　　國二上學期開學，首要的事情便是要選幹部。當時我們班一起密謀：選最頑皮、成績最差的人當班長，想藉此搞制度內的革命，把整個幹部群翻轉一下。可惜最後一刻，班導洞察我們的詭計，將原本不記名的紙本投票變成舉手表決。就在老師一番曉以大義的威脅下，原本的打算掀起革命的幹部——中箭落馬。

　　這是我第一次體認到：原來改變程序可以改變結果。

從小，班表上寫著的週會時間，大多都被拿去上數學課，不然就是自修。關於開會這件事，我印象中就只是：由主席主導，大家評論一陣，然後投票表決，結束。所以小時候對於週會的記憶，除了主席和會議記錄之外，只剩下幾個虛無縹緲的名詞，如：少數服從多數、臨時動議、附議等等。

　　最近看了「羅輯思維」這個頻道中一支名為〈開會是個技術活〉的影片之後，我便買了寇延丁、袁天鵬《可操作的民主：羅伯特議事規則下鄉全紀錄》這本書，書中的內容大致是介紹：如何把將英美發展了幾百年的開會規則導入自治組織。

　　這本書除了顛覆我對開會的認知，還有以下幾點讓我特別震撼：

（1）主席只管程序，不管議題

　　要讓正反雙方都表達意見，讓眾人的想法衝撞，整合。
　　讓大家想法交流後，提出表決。
　　主席要保持中立，不可以透露對動議的偏好，表決時也要最後表態。
　　如果要對某議題發言，要把主席職務暫時交給別人代理。

（2）所有議題都要是動議（Motion）

　　動議這詞很有趣，就是要從現狀做改變。也就是具體的行動方案，要包含目標和人事時地物。
　　不完善沒關係，提出來後讓大家一起讓它完善。
　　如果不是動議就不討論，當然也就不會通過。
　　大家可以思考：「讓臺灣更好」，這是動議嗎？

（3）不要質疑提案動機（Intention）

人都會有利己的動機，只需要討論這議案對組織整體的好壞是什麼，不要浪費時間質疑動機或意圖。

（4）要有人附議（Second）才會討論此動議

附議不代表贊成，只是表示願意討論這個動議。

沒人附議自然就也不會通過。

（5）限制每個人同議題發言次數和時間

一般是每人限制發言兩次，每次兩分鐘。

時間可以依照團隊成員的想法來決定要不要修改。

（6）發言時要先表態

表態可以是：支持動議，反對動議，或是修改動議。

先提出讓大家知道立場，免得說了一堆，時間到了還不知道要表達什麼。

重點是要說支持或反對議案，不是支持或反對誰，對事不對人。

（7）贊成票多過反對票才能通過

不談少數服從多數，是支持本次議案的人多過反對的人就通過。

至於票數相同呢？既然沒比較多也是算不通過，所以參加會議人數不用強求奇數。

（8）棄權代表兩個都可以

用棄權來表示「不同意」或「抗議」是錯誤的做法。因為棄權代表的是──我覺得贊不贊成都一樣。

舉個極端的例子，如 10 個人開會，一個贊成，沒人反對，九個棄權，還是算議案通過。因為議案通過的條件只需贊成票多過反對票。

以上，是我從書中擷取出來的幾個開會要點，而我覺得這套方法在自治團體，例如社團、議會等等，可以發展得很好，因為這類團體的特性本就都是自發性的聚集，純粹靠相近的觀念結合在一起，成員不分大小，會議本身的目的就是要取得最大的共識，讓大家甘心情願去執行。有了這種開會模式能推動共識更快產生。

但若要在公司或企業之類的組織裡實踐，應該要做一些修改，畢竟公司裡面的責任義務並不是人人等值。

一般公司裡的會議，如果增加以下規則，會更符合組織特性：

主管 保留否決權	否決權應該要謹慎且只在關鍵議題上使用。
給主管 或資深同仁 較多票數	負起較大責任者應該要有多一點的影響力，例如主管算兩票；但如果給太多票就失去凝聚大家智慧和共識的意義了。

如同袁天鵬在書裡曾提及的：「組織化（成立公司、社團）的代價是，您把一個人拉進來，儘管一開始時是您主導把人拉進來的，進來之後，就要接受他們跟您的不一樣，就要接受這組織不是您一個人說了算，您的理想就要跟別人妥協！」

談完從書中汲取到的開會想法後，我想談談敏捷組織中的開會方式。在敏捷組織中，參與式決策被大量使用，因為現在的環境變動太快，有了成員的買單和真心認同，執行時，決策的意圖才能被真正落實。

參與式決策的重點，在於讓大家覺得自己的觀點和想法都有被聽到，所以流程的設計是一門學問。

我的經驗中，流程中使用下列幾個技巧可以有助於提升與會人員的參與度：

（1）由最資淺的成員開始發表看法，最終決策者或最大主管最後發言，避免錨定效應（Anchoring Effect）。

（2）把主管和會議主持人的角色分開，避免球員兼裁判。如同在《無主管公司》裡提到的合弄制（Holacracy）的設計，除了 Lead link、Rep link，還有 Facilitator 的角色。在 Scrum 中 Scrum Master 的設計也是為了幫助引導會議進行。

（3）凡事都要先說好，就像玩遊戲一樣，我們都會先訂好規則再玩遊戲。而應用到會議上，規則和範圍先說清楚，預算、時程、限制條件、甚至主管保留否決權也沒關係，重點是要先說好。

（4）多使用全員參與制（Sociocracy）中的認可決，投票表決通常不是最佳解。比起投票表決，使用認可決問：「有沒有反對意見或擔心的地方？」如此一來，可以利用反對意見以消除盲點，精煉出更好決策。

（5）認可決不是多數決，也不是共識決。認可決的流程是讓大家聲音和想法都被聽到，一起找出「不滿意但可接受」的目標，一同參與向目標推進，定期檢視和調整做法。簡單來說，它是經由討論、傾聽、同理而找出最大公約數的做法，與直接投票的多數決相比，較沒有那麼暴力；此外，認可決也不是大家都要同意的共識決。

（6）可以用認可決來產生做決策的人。比如我們懶得決定中午要吃什麼，那就可以使用認可決來決定一個人，讓他每天中午直接決定要吃什麼，然後約定好過一個月後來檢討。過了一個月以後如果大家都還可以接受他訂的菜色，他就繼續服務；如果有人有反對意見，我們就換個人來試試看。

（7）要慎選參與式決策的使用時機。畢竟開會的時間有限，而參與式決策又比較花時間，所以一定要慎選使用時機。一般而言，大多都是在規則的制定等方面來使用。如合弄制中的 Lead Link 也被賦予自行決定營運決策的權力。

（8）千萬不要搞假民主。沒討論空間，不管如何都要做的事，就直白地以專制的方式直接宣布溝通想法。若利用程序幫自己背書，多用幾次，大家都心知肚明您要的不過是個程序罷了。這一點，我覺得最重要，真小人好過偽君子，所以：

千萬不要搞假民主。
千萬不要搞假民主。
千萬不要搞假民主。

因為很重要，所以說三次。

嘗試一下小規模的使用認可決，您會發現它使成員參與投入度提升，也讓團隊激發出更多更好的想法。

▶▶ 以團隊為主的會議觀察要點

除了快速迭代、適應變化這個優點外，我覺得 Scrum 的重點價值在於：以團隊為主體運作，讓團隊取得個人所沒有的特性。

但要讓團隊擁有這些特性並不是容易的事。

因此，我認為有三個最重要的觀察要點：

（１）成員是否都能安心地表達自己想法？
（２）成員的個性與觀點是否夠多元？
（３）團隊有沒有好的決策模式？

首先，第一個觀察要點：安心表達自己想法。

Google 在高效能團隊的研究中，發現高效的團隊具有一個共通點，那便是心理安全感——團隊成員是否可以安心地在彼此面前冒險以及表現自己脆弱的一面。

落實在團隊溝通中就是：我的意見會被聽到、會被尊重、不會有人笑我笨；同時我會大膽提出我的看法，也歡迎大家針對我的看法提出建議和反饋。

（1）由最資淺的人員先發言，其他人不發言只認真聽（特別是資深人員），先讓每個人都發言過一輪再進行討論。

（2）給出時間讓每個人先寫下想法，之後再進行討論。

（3）善用探詢和主張。
第一階段是探詢，先讓每個人取得自己所需要的資訊，再進入第二階段主張，讓每個人說出自己的觀點和想法。

（4）討論時人人平等、沒有對錯、沒有老闆，任何看法觀點都歡迎。
（相較之下，決策時則是由有決策權的人下決定）

第二個觀察要點是：多元的個性和觀點

哈佛商業評論〈為什麼多元團隊更聰明？〉一文中提到：多元性可以讓團隊更有創意、更客觀、同時想法更可以落實。

每次在組成實習生團隊（4 - 7人）時，我們會刻意創造多元性，盡量讓異質性高的人在同一隊，比如說從不同的學校、不同的性別、不同的人格特質中挑選組成成員。

到目前為止嘗試的結果，到最後總是會產生一組相處得很愉快的實習生團隊。此外，聽實習生們四個月實習的心得分享，蠻多的共通收穫是「第一次以團隊方式把事情做出來」。原來這些實習生即使之前在學校有過專題團隊，但也是各自分工不合作，大家分派工作最後再組合起來。就像之前提到的，只能說是「團」而不能成「隊」。

而在實習過程中，成員利用 Scrum 的方式，及時了解每個工作的進度，互相支援遇到的問題，密集地分享和學習，還有一群學長姊噓寒問暖，這都是之前沒有的體驗。

具體的操作方法

（1）一群聰明人在一起不一定能組成聰明的團隊，合適團隊的人比厲害的人重要。

（2）使用 DISC 人格特質分析，或是進階一點 MBTI，讓一個團隊中有平均的人數分佈在不同的特質。

（3）找有特殊經歷的成員，如讀生死學系、高中讀了五年、有自己創業過的經驗等。

（4）避免獨厚自己的母校，比如控制某些學校的比例。

（5）找不同文化框架的成員，如外籍人士等等。

最後一個觀察要點便是：好的決策模式。

從小，我們的教育似乎只讓我們學會投票，但其實除了投票，還有很多決策方法，如共識決、猜拳、老闆說了算等等。

Scrum 團隊中沒有隊長（Team Leader），少了老闆說了算的選項，所以 Scrum 團隊如何決策是個大問題。

我認為在敏捷的團隊中，全員參與制提供了一個不錯的解法：認可決，任何提案只要沒有重大反對意見就可以進行。

認可決的精神是：儘管我並不百分百同意，但我願意嘗試後看看結果再來討論。畢竟很多時候壞的決定好過不做決定，而且敏捷的精神是靠迭代學習，沒有嘗試就沒有反饋。

具體的操作方法

（1）如果有權威決定權的人在場，如主管等，最好等所有人都發表完主管再說自己的觀點，才能取得最多元的意見。

（2）盡可能用認可決來做決策。
比如問「有沒有重大的反對意見」，而不要問「有沒有人贊成」。

（3）利用反對意見來修改提案，而不是一有反對就撤銷提案。

（4）挑選一個輪值的執行官，在認可決不適合或有突發情況時擔任決策的角色

（5）保持選項的開放，盡可能推遲決策的時間點，等到一定要下決定時再下決定。

敏捷夥伴迴響

" Herdy

我很喜歡敏捷的工作模式，執行過程我可以看到團隊目標、彼此的任務，我們就像一個球隊為了贏得冠軍而努力奮鬥。我們也不斷嘗試新的執行方式，讓我們變得更好，敏捷讓我感覺團隊是靈活且不斷成長著的。"

7

快推別説風涼話啦:量化與評量

可以被接受的主觀,好過無法被接受的客觀

如何量化個別開發人員和工程師的產能

之前有討論過如何衡量團隊的產出和價值,接下來讓我們看看如何衡量個別開發人員(包含 Programmer、Tester 和 Designer)的產能。

情境一,假設您是督導建金字塔的其中一個拖拉隊的工頭,團隊裡面有三個人,其中兩個很賣力在工作,而另一個卻整天偷懶以外,還天天抱怨著為什麼輪子不用圓的之類的問題。話雖如此,大夥每個月還是可以有20趟左右的產能。而您是工頭,每個月月底發加菜金的時候,該怎麼分呢?

不夠複雜嗎?

情境二,原本賣力工作的兩個人,在聽了第三人的話之後,也開始吵著要改變輪子形狀。而在換了圓的輪子之後,整體團隊可以多運 10 趟,共 40 趟。

那麼,現在月底加菜金怎麼分呢?

最後,情境三,原本整天抱怨的那一個人不幸腳受傷,當月換成他妹妹來代班。然而他妹妹因為外表太漂亮,另外兩人不讓她工作,反而叫她坐在車上當拖拉隊鼓勵師。團隊在邊工作邊聊天的狀況之下,當月的產能竟然超標——拉了45趟!此時,加菜金怎麼分?

法老王要判斷給整體產品開發團隊的加菜金容易,就直接算趟數。

假設一趟給大家分一隻雞腿，情境一就是給 20 隻，情境二是給 40隻，情境三就是給 45 隻。

但難題來了，個別成員要怎麼分配，大家才不會打架呢？

抱怨者的建議值多少雞腿？他的妹妹在精神上的鼓舞又值多少雞腿呢？

如果連推拉隊都很難讓大家都分得心服，那麼過了四千年，當我們寫程式開發 Software 的複雜度、抽象度遠遠高過金字塔拉石頭，我們有辦法找到一個可以量化的方法來衡量團隊成員的貢獻嗎？

我早就放棄找出客觀數值來評量的方法啦。

正式放棄的那一天，我正好去聽了 James Grenning 的演講，演講完後我就問 James，有什麼方法可以衡量 Developer 的能力和產能？James 沉吟了一下説，沒有辦法量化或衡量，如果真的要衡量，只能看到底有沒有解決問題。

我對此的解讀是，客戶滿意（因為問題有被解決）就是好 Developer；反之，客戶不滿意就代表能力不足（先不管是技術能力還是溝通能力）。而 Scrum 框架中，最可以代表客戶利益和態度的就是產品負責人，所以產品負責人的滿意度就是開發團隊的能力指標。

總之，就是到最後還是只能靠產品負責人的主觀意見來判斷團隊甚至個別成員的貢獻。

那，重要的問題就出現了，團隊和成員的績效獎金怎麼辦呢？

之前上 Bas CSM 的課，他的建議有兩個：

一是全部不要有獎金，完全反應在月薪上。

二是按照薪資比例均分，這個大前提是每個人的貢獻和能力已經在薪資上公平地反應出來，所以團隊的成就應該按此分配。

用任何其他量化的方式，都可以很容易地被操作扭曲。

但此時，熟讀中國近代史的人，不免會在內心響起一個聲音，這不就是所謂的「大鍋飯」嗎？

我覺得其中有一個最大的差異——是這些人是自願在這團隊吃大鍋飯，所以表示這個分配模式是大家都可以接受的。加上自我組織管理的前提是，團隊會對不公平的行為作出反應和行動，比如說，要求個別成員增加成長速度或甚至離開團隊。

但在進化到共產主義理想程度之前，我們目前的做法是一半的獎金按照薪資比例均分，另一半就交給主管的判斷力來分配。至於主管按照什麼來判斷呢？百分之百主觀判斷，相信落實敏捷思維的主管會按照資訊做出最適當的安排。

這是一方面讓大家了解每個人都要對團隊產出負責，另一方面讓主管可以微調的折衷方法。

因為就前文的例子而言，不成熟的團隊會覺得整天抱怨的人沒貢獻，但有慧眼的主管會知道：有他在，團隊才會持續找出更好的方法。

如何評量開發團隊

關於軟體開發最經典的問題就是：要如何評量開發團隊？

這不但是管理人員最頭痛的問題，連開發人員也很想知道自己是怎麼被評量的。

我們先來看看能不能由產品（程式）或生產線（開發人員）上找出些東西，幫助管理人員對開發團隊打分數。

從程式方面來說，常用的評量方法有：

方法	說明
(1) Number of Line of Code	算寫了幾行程式，數值越多越好
(2) Bugs per Line of Code	程式漏洞（Bug）除以程式，數值越小越好
(3) Code Coverage	測試覆蓋率：程式中源代碼被測試的比例和程度
(4) Function Point	完成一個商業需求算一點
(5) Story Point／Velocity	Scrum 團隊專用的故事點數／速度
(6) Release 次數	計算一個短衝時間有多少交付上線

第一個是團隊認為這指標很重要。

第二個是這些指標要跟績效評量沒關係。

指標要跟績效評量沒關係。

至於人員工作效率部分，常用的方法有：

方法

（1）打卡計時。
（2）打字速度計算。
（3）外表看起來像不像工程師。

看出上面的評量有什麼共通點嗎？

第一點，就算都做到了，也不一定是好的產品。

第二點，就是都沒解釋為什麼要開發這個軟體。

就像是搭計程車，不關心怎麼到達目的地，反而一直看司機有沒有坐端正，引擎轉速有沒有上四千。

但這些指標都是為了到達目的地，所以到目的地更重要。

熟悉關鍵績效指標（KPI）制定的朋友，都知道 KPI 要衡量的是結果。而不論是 KPI、OKR（Objectives and Key Results）還是 MBO（Management by objective）都是為了校準從上到下的意圖，如同《孫子兵法》中所說「上下同欲者勝」，所以不管選擇是什麼方法，重點都在於讓目標一致。有些公司

開放讓員工入股，也是為了達到這個目的，只是當員工人數一多，公司整體的績效和個人的關聯性就越來越低，這會是另一個考量點。

而我們軟體開發出來是為了什麼呢？是為了衝市佔率？還是為了賺錢？

所以我覺得比較可靠的衡量開發團隊能力的指標如下，可以針對組織情況和目標來選擇合適的：

組織目標	說明
賺錢是重點	1. 產品帶進來的毛利 2. 毛利／開發與維護費用（每一塊錢的開發和維護費用可以換來多少收益） 3. 毛利／開發團隊人數（收益人效）
市佔率是重點	1. DAU（Daily Active User） 2. MAU（Monthly Active User） 3. MAU／開發與維護費用（每一塊錢的費用可以換來多少使用者） 4. MAU／開發團隊人數（使用者人效）
開心度是重點 （不要小看這個，尤其是內部系統）	1. 關鍵 stakeholders，包含老闆，有多高興 2. DAU／MAU （黏著度） 3. 客訴和發生問題的次數 4. 客訴和發生問題的次數／MAU 5. 客戶滿意度

但這重點是衡量全體開發團隊，包含企劃、美術設計、工程師、營運人員、產品負責人、Scrum　Master、甚至主管，總之是掌控一個產品運行的全部人員。

至於個別人員的評量呢？主管跟產品負責人好辦，就是跟所負責的產品掛鉤。其他角色的部分就比較複雜了，參考一下如何衡量個別開發人員的績效吧。

敏捷夥伴迴響

林繼群 Claude Lin Guardian

這幾年擔任面試人員，每當詢問應徵者有什麼想了解的，最常被問到的應該就屬敏捷相關的議題。進一步詢問對方的現況，時常能夠聽到各種我從未想像過的的新奇回覆，很多都是缺乏了將敏捷的思維放在心上，流於形式，保持開放的態度去適應各種變化，不侷限自己的可能性。回頭看看公司內的團隊，似乎剛好都有這些特質，或許這就是我們能持續學習進步的其中一個原因，不論是敏捷，或者其他技能。

8

如果你可以預測未來，那麼你不需要敏捷：主管定位

好的主管會表演，厲害的主管提供舞臺

有一天主管在會議上說了一個笑話，大家都笑得東倒西歪的，可是有一位同事沒笑，主管問他這個笑話不好笑嗎？他說：「以前也是不好笑，但今天是我最後一天上班。」

是什麼樣的環境，讓他連笑都要假裝呢？而且對這個主管來說也很可憐啊，他那麼努力地說笑話，如果能早一點得到真實的回饋，說不定練得久了，現在講笑話就好笑了呢？

主管的定位對於實踐「敏捷」而言是非常重要的。

有人可能會有疑問：第一章節不是說：「我們需要越來越少『管理人』的管理者，但需要越來越多能『自我管理』的管理者嗎？」那何必留主管這個職位呢？

但敏捷不是自然發生，而要靠人來慢慢推動呀！

先別擔心，以下，我會用自己導入 Scrum 的例子來詳談：

理想中的敏捷所帶來的亂象

2014年，我剛開始接觸敏捷時，我的角色是新加坡商鈦坦科技的總經理，我覺得敏捷（包含敏捷開發、敏捷專案、敏捷管理）在描繪一幅理想中的世界。

就以最熱門的 Scrum 來舉例： Scrum 團隊中沒有主管發號司令，工作由大家一起分工合作完成，且每個人自行選擇工作事項。此外，團隊成員不會偷懶，會盡力把事情做好，最後的工作成果則是由團隊共享。

簡單的說，就是「各盡所能、各取所需」，這也是共產主義中理想社會的呈現。

但等到真的實際做了，才發現完完全全不是這樣！

團隊沒有主管後，往往會陷入決策困境。最直接的情況就是：原本在專案進行的一個小決定，大家卻可以討論三、四天以上。

除此之外，由於缺少主管擔任訊息傳遞的角色，團隊的方向和部門、公司總是無法同步，因此造成團隊成員各做各的事，站立會議淪為過場，更糟的是，資深成員覺得教資淺人員很浪費時間；資淺成員則覺得資深人員不務正業，只顧著做自己喜歡做的事，更別提在這段陣痛期，不習慣新模式而離開的夥伴。

這種種所謂的亂象，直到大家掌握敏捷的精神才慢慢消失，然而——這已經是導入敏捷之後一、兩年後的事情了！

導入敏捷後的主管轉型

此外，常見的 Scrum 導入狀況是：部門主管自己當 SM。

主管當 SM 的風險，就是沒辦法產生一個自組織的團隊，但讓團隊有自我組織的能力是跑 Scrum 最大的理由之一，所以強烈不建議主管當 SM 的角色，讓主管當產品負責人，會比較容易養成自組織的團隊。

但若自組織不是近程目標，團隊也充分了解風險，由主管擔任 SM 也不是不行。

因此，假設主管要當 SM，會建議實務上要如何操作呢？

先前提到過 SM 和產品負責人是互斥的角色，若由同一個人擔任會造成權力過度集中，所以分開是比較好的選擇。

而有預算的情況下，從外部找敏捷教練（Agile Coach）來擔任 SM，不但可以帶入產業的資訊，還可以避免一些明顯的錯誤。然而如果眼下真的沒有合適的 SM 和產品負責人的人選，而且也沒預算，那麼由主管先兼任 SM，把 Scrum 的基礎建設先建立起來，也是沒辦法中的辦法。

（但，有多少人是準備好當父母後才當父母的呢？）

而主管身兼產品負責人和 SM 也並非全然不可，有一個最大的好處是——可以用權威馬上推動敏捷的基礎建設。畢竟集權的好處是可以用半強迫的方式（如讀書、訓練），把相對沒經驗的團隊提升到一定的水準。

提升的重點有：

（1）改變團隊內部的溝通模式

可以先看《 MIT 最打動人心的溝通課：組織心理學大師教您謙遜提問的藝術》這本書，應用裡面的技巧來促進團隊間的溝通。還有，先試著把一個團隊當做一個人來對話，把問題交給整體團隊，讓團隊自己找去解決方法。

（2）最小可行性商品（MVP）的概念和實作

Scrum 是敏捷的一種，但不管是哪一種敏捷，製作 MVP 的能力都是必備的。詳細方法可以參考《精實創業：用小實驗玩出大事業》這本書。

（3）讓 Scrum 的活動發生

如產品待辦清單精煉會議、短衝規劃會議、短衝檢視會議、短衝自省會議活動等活動要盡可能實現。主管可以提醒自己要促成團隊溝通，把自己當成幕後的角色。

主管對於敏捷的重要性

讓團隊提升到一定的程度後，接下來遇到停滯期的可能性很大，要想再往上提升就要靠團隊自己的意願和教練的功力了。所以，持續培養 SM 跟產品負責人的人選，讓團隊發展自我組織的能力，是主管重要的長期責任。

再來，導入 Scrum 還有一個常見的情況：讓專案經理（PM）來擔任 SM ——即便 PM 和 SM 的功能與思維其實差異很大。那麼，一個苦命悲情而任重道遠的 PM，到底要如何才能順利轉型為 SM 呢？

要成功的轉型為 SM，跟主管充分溝通是必須的；而且溝通重點在於釐清主管對 Scrum 的期望。

以下我們分成四點來依序說明：

（1）設定好主管的期望

首先，我們要先確認主管對 Scrum 的幻想期待是正確的：Scrum 並不會讓產出增加，也不會讓團隊變超人。

Scrum 不是一種萬能的特效藥，它只能讓產品比較容易符合客戶的期待，而團隊成員在工作上會比較愉快，也比較容易找到工作的意義，這使團隊發展更有永續性。

總之，Scrum 是個長期投資，不僅一年內要看出結果是件不太可能的事，而且短時間內產出一定會下降。

（2）找主管扮演 Product Owner

有了主管的支持後，下一步便是請主管接起產品負責人的角色。如果主管對於完全接起產品負責人這個角色表示有困難，那麼至少主管必須做到安排產品待辦清單的優先順序的工作，以及解釋待辦事項戰略目標（Why）和驗收成果這三項工作。

產品待辦清單的功用，是用來溝通產品的願景；而在使用Scrum軟體（Excel 除外）管理產品待辦清單時，通常會讓產品待辦清單變成一份只有產品負責人看的文件。這樣一來，產品負責人會花上很多時間試圖完善清單項目的內容，而用於產品待辦清單內容精煉（refinement）的互動反而會減少很多；原本應由開發團隊和產品負責人協作的「what」（戰術目標），就會變成產品負責人自己一人的演講。

如此一來，往往導致開發團隊自以為瞭解需求，但其實並不清楚產品的改進方向。

除了上述三件任務之外的事，團隊成員就自行處理，但無論如何，產品負責人的頭銜一定要掛在主管身上。

因為雖然產品負責人和團隊理論上要協力，但往往會變成對立。此時，如果產品負責人不是主管而是團隊成員的話，那麼很可能在產品產出前，團隊就因為對立而先解散了！

（3）認清 Scrum Master 的角色

搞定主管後，接下來是搞定 SM 的定位。

SM 的重點在於幫助團隊適應成長，所以第一步，也是最重要的一步，是「改變說話的方法和態度」。

比如，在表達時可以多使用問句，以及保持開放式的態度。具體來說，可以用：

「剛剛發生了什麼事？」

「您剛剛指的是這個意思嗎？」

「我有些想法，您們要聽我說說看嗎？」

以上這些句子，都會比直截了當的命令句來得恰當許多。

《MIT 最打動人心的溝通課：組織心理學大師教您謙遜提問的藝術》一書中，對於如何提問來幫助團隊，也有非常清楚的解釋。

（4）取得團隊的信任

最後一步聽起來很簡單，但要做到很難。

最重要的是：要讓團隊成員知道——我們是真的要導入敏捷。若對於這點感到窒礙難行，不妨參考一下專案人力資源管理中的一些方法。

把上述的基礎打好，就是在前往敏捷這條路的路上了。剩下的，就交給時間和信心吧！

敏捷夥伴迴響

> ### 生魚片　ypochien

記得第一次開始領導團隊，我發現，經驗只有對「自己」有用。

所以我開始學習，希望能夠找到一個協助我、協助團隊的一個東西，一個很難解釋的東西。

團隊工作事項一卡車，所以我們開始了【看板】

工作細節沒人代理，所以我們開始了【Pair】

不希望 Bug 重複發生，所以我們開始了【測試】

想要正確同步開發，所以我們開始了【版本控制】

團隊自己想更好，所以我們開始了【回顧會議】

……以下省略數百項。

見招拆招，是我選擇的路。

坦白說，開始很容易，如同工作事項的發散。

【以終為始】，卻是最重要的準則。

回首，原來都是敏捷。

而敏捷，對我而言，是一種精神、心態，而非單純的方法論。

弔詭的是，當它是心態，我才開始務實。

Facebook

"

9

如何未卜先知：談領先指標

如果你不能衡量它，就不能管理它。——彼得‧杜拉克

我在網路上看到一個笑話：一個投資人正在看股市技術線圖，旁邊有一個乞丐看到了便說道：「KDJ 數值底部鈍化，MACD 底部背離，能量潮缺口擴大，股票就要漲了。」投資人很訝異問乞丐怎麼也懂這些分析，乞丐則回覆：「就是懂才會變這樣。」

數字就只是數字，選對好的指標，讓我們專注於想要改善的方向，比數字本身重要。

談「要怎麼做」之前，不妨讓我們先談談「什麼一定不能做」，並且，要能成功轉型，主管的定位也很關鍵，主管往往在敏捷導入後有很大的轉變，也因為導入敏捷，短時間內產出一定會下降，但長線來看這對整體而言是否有益，我們需要一些領先指標來檢視。

除了主管對自我的定位要清楚之外，對一個組織的營運而言更重要的是——錢。一個可以賺錢的組織不一定是好的，但不賺錢的組織一定是壞的——畢竟一個沒辦法養活自己的組織，還有什麼存活下去的價值呢？

因此，組織應該要有明確的指標，才能幫助我們隨時檢視前進的方向是否正確。對此，本章會先解釋何謂領先指標，並說明好的領先指標應有的原則，最後著重於領先指標的三個面向來細談。

以一個「組織」來說，要存活下去的關鍵是──財源。所以每每談到如何衡量團隊的績效，在一般的情境下，都是以團隊能帶入的收益來判斷團隊的績效。（例外的情況是投入大量的資金以搶攻市場，但這種錢不可能無止盡地給，以長期來說公司還是要有獲利才是。）

說到這，一定有人會反對：

「充滿銅臭味的奸商退散」
「有夢想最偉大」
「慈善團體就不需要錢」等等的聲浪一一出現。

但別忘了，慈善團體的財源就是募款呀！

能提出價值，讓大家願意捐款，團體並以此支付應有的開銷，才能幫助更多的人，不是嗎？而整天喊著夢想的人，背後也一定有金主，以保證至少在生存方面沒問題。

但我們總不能等到產品上線後，發現沒有利潤可言，才來做檢討吧？

在產品開發過程中，其實都有些跡象能幫助我們知道：到底達成目標的機會有多大，以讓我們適時做些調整。而這些跡象就叫做領先指標（Lead Measures or Lead Indicators）。

領先指標的原則

一個好的領先指標，必須符合兩點原則：

（1）領先足夠的時間，以提前知道現狀，並適時做出改善行動

舉例來說，在登山時若感覺到往下墜才做反應，那就已經太遲了！因此，了解當時離山壁的距離，土質的鬆動程度等，會對登山行動的安全有所助益。

同理，應用到產品上也是如此。

（2）跟績效評估脫鉤

若產品的生產歷程都需要一一被評量，這就會提供團隊做表面功夫的誘因或造假的動機，如此一來就沒辦法了解到產品的實際情況如何。

領先指標的三個面向

領先指標並不是單一的衡量標準，會依照「獲利」、「產品表現」與「團隊表現」而有不同的項目和內容，下面我們依序來一一細說：

（1）針對「獲利」的領先指標

a 推出新功能／新產品的速度
b 客訴次數
c 媒體曝光次數
d 開發新顧客次數

a 產品待辦清單（PB）優先順序和項目改變次數：

若工作事項在產品發布後都沒有改變，很大的可能是我們沒有從使用者身上獲得回饋，不論在產品或市場上都沒有學到新的知識。

這時有人會質疑：那已經排好的一年的工作要怎麼辦？

其實，問題在於：「要把工作做完」重要？還是把「產品做好」重要？

現在市場變化激烈，產品上線以後一定會有很多資訊證實或推翻先前的假設，因此需要改變原本的對策，而這些對策的改變理應會反應在產品待辦清單。

所以，在功能和產品上線後，我們必須透過仔細觀察使用人數、次數、時間、對營收的影響、使用者的滿意度等，來決定下一件要處理的事情為何。

b 上線發布（Production Release）的次數：

能快速而且經常地上線發布，代表的是自動化測試跟持續整合都有到位，這讓產品能夠更靈活地反應市場變化並保持品質。因此，可以採用提升自動化測試、持續整合技術能力的方式等。更進一步說，可以利用 Coding Dojo，技術分享跟結對編程（Pair Programming）來達成這一項。

c 談論使用者（User）需求和驗證需求的次數：

敏捷的核心是產品，而產品是做給人用的。

唯有團隊成員時時刻刻想著使用者要什麼，才有可能做出打動人心的產品。

因此，我們可以去上使用者體驗（User Experience）的課程，讓所有的行動和改變都要質疑「這對使用者有什麼價值」，並使用A／B

Test 來驗證對使用者的假設。以上，可參考後面的「敏捷好物推薦」一章。

（3）針對「團隊表現」的領先指標

ⓐ 團隊一起吃飯次數：

團隊的默契不容小覷，吃飯、聊天便是增進團隊夥伴感情的最好方法。

默契高的團隊夥伴，不但工作上幫助彼此進步，更會因為觀念的契合，下班後也會是不錯的朋友。把工作跟個人生活分得很開的團隊，默契和凝聚力一定不高，在各種行動的配合上就無法達成最高的效益。

感覺很難嗎？不妨試試：先找談得來的一、兩個成員一起，再慢慢增加人數吧。

ⓑ 閱讀的書本數：

閱讀的書本數，反映的是學習風氣。有很多人認為參加研討會、看部落格就是學習。我個人認為這是淺碟式的學習——只能摸到表面。我覺得只有靠看書才能產生自己的觀點，因為看書能在幾小時或幾天之中，吸收作者最精華的思想，而作者可能是花了好幾年的經驗才寫出這一本書呢！

不讀書的團隊，其成長幅度我是悲觀看待的。對此，我提出了幾個對策：上策是團隊有自發的讀書會；中策是列出推薦書目，讓有興趣的人自己去看；下策則是將書籍列入必讀書單，甚至直接逼成員讀書寫心得。

讀書是少數有辦法以逼的方式推動，而又沒太大負面影響的動作。先以逼迫的方式讓團隊看書，進而培養閱讀習慣，也是沒有辦法中的辦法。

ⓒ 開會和討論時的嘈雜聲分貝：

　　這點反應的是溝通的意願和充分度。每個人觀念和想法一定有差異，唯一的解決方法就是溝通。冷清的會議或討論，反映出的是團隊不願意溝通、沒有能力溝通或是沒有安全發言的環境。沒有充分溝通的團隊，每個人都會有很多自己的假設（Assumptions），而靠著假設做事，代價就是重工造成資源浪費。

　　解決方法很簡單，就是找出和培養團隊中的溝通橋梁，並營造一個可以安全對話的環境，讓大家可以暢所欲言。重點是——討論須對事不對人！

ⓓ 正面思考的人數比例：

　　正面思考的人聚在一起可以互相充電；若團隊中都是負面思考的人，不但成員自己感到痛苦，對團隊而言也是很大的負擔。此外，還很可能會影響到整個企業的文化。

　　那，如何讓正面思考的人數比例增加呢？首先，先把自己的正面能量顧好。

　　沒有正面能量嗎？考慮一下自費參加專業課程吧，在課程中可以遇到很多正面能量的夥伴。自己擁有正面能量後，再來慢慢影響團隊的每個人。

　　並不是每個人都能很快地接受導入敏捷以及其所帶來的改變，畢竟個人的背景不同，思考的維度也可能不太一樣。若一味地強迫別人改變來配合公司政策，不僅團隊會有很大的壓力，不想改變的人更會頭痛不已。

　　因此，在談完領先指標之後，我們進一步談談如何經營企業文化來促成改變。

" 張詰鈞　Mark Chang　資料探險家

　　敏捷對我而言是一種態度，在複雜的環境下不斷地探險發現，並實現那個更好的自己。 "

10

HR都在幹嘛：企業文化

要知道真正的文化，就看他們做些什麼，身體比嘴巴誠實

要種出一棵樹、最好的時機是十年前。

而次好的時機呢？

是「現在」。

如果您有更想要身處的文化，「現在」就是最好的改變時機。

因為公司的人資部門（HR）會影響組織的敏捷程度和敏捷的導入方法，因此，我們也需要進一步探討公司的企業文化。

什麼是企業文化？網路公認的說法是：一個組織擁有共有價值觀、處事方式和信念等內化認同，並表現出特有的行為模式。

這定義聽起來很抽象，但其實從組織人員的行為、工作事項的規範、組織保有的主要價值、指導組織決策的觀念等方面，就可以大致看出這一個組織的企業文化的模樣。

企業文化怎麼來的？

企業文化並不是掌握在主管身上，而是在人資部門身上。為什麼？因為人資部門可會深深影響組織的敏捷程度和敏捷的導入方法呀！

聯聖企管陳宗賢教授在他的杜拉克管理專班裡常說，人資部門跟團隊人員幾乎是高度緊密相關，因此，要想要導入敏捷開發，除了主管的支持，更要爭取人資部門站在同一陣線。

HR的發展脈絡

雖然用 HR（Human Resource）來統稱所有人力資源相關的事項可能不太精確，但我們這邊為簡便說明，先暫且如此使用。

以人力資源專業的歷史沿革來看，可以發現HR的發展主要有四個階段：

（1）人事行政（Human Management）
（2）人力資源管理（Human Resource Management）
（3）人力資源發展（Human Resource Development）
（4）人力資本管理（Human Capital Management）

每個階段都有包含上個階段的工作，但是有新的重心。

到這裡，可以先問問自己：「我們公司裡的人資部門在做些什麼呢？」是算薪水、排假、辦活動、徵才找人、績效考核、安排教育訓練……，或者打造公司文化？

把人才當作資源 Resource

很多公司的人資部門其實都只做人事行政。比如算薪資福利、休假、勞健保、管理員工檔案，甚至公司活動籌劃等這些偏重於行政類的事情。

從這裡就可以看到，這樣的公司，人資部門還停留在上述的第一階段。

至於什麼時候會往下一階段邁進？

大概是老闆問「要怎麼知道公司請這個人到底划不划算？」的時候吧。

因為這時，公司才會需要人力資源管理。

「人力資源管理」的概念是把人當做資源，如同金礦一樣，重點是找到金礦（徵才找人），趕快提煉出金子（用人），看能產出多少純金（績效評估），產量不夠就趕緊去找另一批金礦（人才汰留）。

所以資源採到就要盡量用完，人請到就要人盡其才，這大概源於「只要是資源就要用完，不用完就是浪費」的概念。

有些公司的規定很奇妙，其思維就像無機體一樣，可以任人擺佈，認為只要訂些規定就可以把資源和效率最大化。

但，真的是這樣嗎？

▶▶ 把人才當作投資

人並非上述所言，可任意操弄；人可是能學習和成長的有機體呀！

將人力資源的發展概念比喻為種果樹，果樹需要澆水施肥（教育訓練）來成長結果——這還是延續「人是生產的成品之一」的概念，有點標準化打造人力的意思在。然而最新的概念是「人力資本管理」。

此方式以人為重心，把人當做企業最重要的投資標的，並認知到每個人的獨特性。

因此，這著重在組織跟個人的價值觀契合度。

從組織面來看，什麼樣的文化最能讓組織在市場上打勝仗（打造文化）呢？

從個人面來看，如何找到能融入並幫忙創造文化的人才？如何讓雙方合作愉快且關係持久呢？

不管是哪個階段，人資部門 HR 都要做好分析和制度規劃。分析包含員工背景分布、滿意度和離職率；制度規劃目的是在延續老闆意志（前三個階段），和打造出公司文化（最後一個階段）。

轉型要成功不能不靠人資部門

焦點回到導入敏捷。我們要先觀察目前公司的人資在哪個階段，才能找到切入點。要怎麼知道目前公司內的人資部門是在哪個階段呢？

其實很簡單，只要問一句：「我們公司人資部門主要都在做什麼？」就可以了。

其一，答案是：算薪水、排假、辦活動。那麼目前貴公司的人資部門基本上和人事行政沒有不同。

如果要導入敏捷做出改變，必須爭取大老闆的支持。因為主要意志的執行單位是老闆。利害關係人矩陣（詳見第五章）位於影響力低、興趣低的位置，只要監控態度就好。

其二，答案是：徵才找人、績效考核。這部分的 HR 屬於第二階段「人力資源管理」。這個階段是最要小心管理的，因為此時的人資部門 HR 有足夠的權力讓任何改革失敗，但沒有足夠資源讓改革成功。目前利害關係人矩陣位於影響力高、興趣高的位置。此時要做的是——與大老闆、人資部門兩邊溝通。具體而言，一方面要跟人資部門強調這是他們的專業，我們只是幫忙；另一方面則要提供成功案例給予老闆，並把功勞給人資部門。若能幫人資部門往下個階段邁進，便是雙贏的結果了。

其三，答案是：安排教育訓練。恭喜您，貴公司的人資部門在第三階段「人力資源發展」。讓人資部門把敏捷相關的課程編入預算就是一大勝利了，以後再慢慢擴大敏捷的認知吧。目前利害關係人矩陣位於影響力高、興趣低的位置——興趣低因為這只是他們安排的課程之一。要保持讓人資部門滿意，盡量不要幫他們找麻煩，並且給予導入敏捷的實際成功案例，也提供教育訓練效果的簡報等，這些都可以幫助人資部門爭取資源。

其四，答案是：打造公司文化。基本上可以用「不知道在幹什麼，但好像什麼決策都有HR的影子」一句話來囊括。只有在這個時候，人資部門才是「人力資本管理」這個最理想的情況，此時人資部門有足夠聲望和資源讓改革成功，一定要爭取為同一陣線。用敏捷的好處說服他們，並讓他們擔任主導的角色。此刻利害關係人矩陣位於影響力高、興趣高的位置。因此必須與他們保持密切的溝通，最好能和他們打成一片。

綜上所述，即便傳統人資的五大工作分類是「選用育評留」（即徵才選才、做事用才、教育訓練、績效評鑒、人才汰留），但我覺得人資應只是輔助部門主管，部門主管要主導以上流程和對部門的人力配置負責才是，而人資最終的大目標是公司文化的打造，制度面包含選用育評留的設計只是手段和方法而已。

「三流的組織靠人才,二流的組織靠制度,一流的組織靠文化」這三句話應是老生常談了。第一句話是指組織只靠個人單打獨鬥;第二句話則是藉由制度讓團體協作;第三句話就比較令人費解了──畢竟文化這種東西,看不到、摸不著,對組織的影響有那麼大嗎?

相信有看過管理相關書籍的朋友都對「文化」這兩個字不陌生。這兩個字看似簡單,實際上在執行時卻複雜萬分,但它在日常生活中卻又俯拾即是。那到底什麼是文化?首先,我們先來定義一下「文化」:

> (1) 文化是指從上到下每個人的共識和默契
> (2) 每個組織都會發展出自己的文化
> (3) 文化沒有好壞之分

一旦察覺到這個組織適合生長,那麼文化就會蔓延,直到每個人都被影響。而當文化根深蒂固後,要移除可沒那麼容易。

關於文化,有一個在管理學中流傳已久的故事──猴子噴水:

故事是這樣的:科學家把十隻猴子關在籠子中,並在籠子中央吊一把香蕉。

大家都知道猴子熱愛香蕉,所以猴子就會想盡辦法想得到香蕉。而科學家會在猴子快拿到香蕉時往籠子中噴水,使得每隻猴子全身濕透。因此後來十隻猴子都學乖了,就算香蕉仍然在籠中,牠們都不會想去拿。

這時候,科學家把十隻中的一隻猴子抓出,再放進一隻新的猴子。而新進的猴子一發現籠中有香蕉便立刻想要拿取,但原本就在籠

中的九隻猴子因著過往的經驗，不想要被噴水，因此便群起圍毆那隻新進且想拿香蕉的猴子。新進的猴子雖然莫名其妙被打，但也學到香蕉是個不能碰的東西。

接下來，科學家一一把原有的猴子換成新的猴子，也因為猴子喜愛香蕉這個習性的關係，每隻猴子在進入籠子後都會想拿取香蕉，也因此都會被在籠中的其他猴子毆打。也許是因為不服氣，也或許是因為報復心態，打得最兇的都是上一隻進來的猴子。到最後，籠子中雖然都是沒有被噴過水的猴子，但再也沒有猴子敢去拿香蕉了。

這個故事很好的解釋了文化的發生和傳承，後進者都是依據先進者的態度，來決定什麼可以做，而什麼不能做——即心理學上的從眾效應。

每個文化中的儀式或做法一開始都是有原因的，但如果沒有好好地解釋原因便往後傳承，就會成為「照做就對了，我們從以前就是這樣做」的行為模式。因此，組織內就會有看到許多不知道原因，但還一直做的慣例或行為，漸漸地，就會形成特殊的企業文化。

以上，「猴子噴水的故事」非常深刻點出組織文化是如何塑造形成的，到最後大家只會知道千萬不要，但為什麼千萬不要？原因已經消失在空氣中。

如何打造企業文化？

一般我們會經由幾個重點來觀察公司文化：

（1）哪些人被找進來
（2）哪些人升官了
（3）哪些人離開了
（4）什麼行為被獎勵，什麼行為被懲罰

如果您認為年資很重要，那千萬別說升遷靠能力，要說我們重視忠誠度。如果您只信得過有血緣關係的自己人，千萬別說一視同仁，要說哪些職位只能由親屬擔任。如果您不容許犯錯，那千萬別說鼓勵嘗試，要說我們小心行事。

因為人都很敏感，察覺這些潛規則是很容易的。

說一套做一套不但瞞不過眾人，還會讓大家多加一個文化元素：我們鼓勵說假話。

如果想要改變文化的是主管或老闆，那我們可以先從了解自己開始。首先，寫出 30 個描寫自己個性的形容詞，並從中選出自己聽到會感動，且平時就遵循的價值觀，最多選出 5 個。（千萬別選聽起來很好但自己做不到的）然後公布出來並身體力行，按照這些價值觀行事，不出一年，整個組織會朝這些價值觀前進，改變，就會開始發生。

讀完敏捷的核心思考之後，我們會發現：「真誠面對需求」很重要；主管定位是釐清對於「人」的需求；領先指標則是掌握對於「產品」的需求；而企業文化，則會影響整個組織面對需求的態度。然而，真的要將敏捷導入組織中，必定會面對到很多的問題。

首先要知道：變革不是重點，重點是為什麼要變革。同樣的，在讓企業敏捷化之前，我們要先知道為什麼企業需要「敏捷化」。

敏捷化，其實就是讓企業可以快速反應市場的變化。而需要敏捷化的最大原因，其實來自於市場的型態已改變。

在工業時代，消費者的需求遠高於生產者所能供給的，消費習慣的改變緩慢。生產者（也就是企業）所追求的是效能——如何用最少的資源生產最多的產品。因此，當時靠的是大規模生產以降低平均生產成本、詳細的規劃提高良率、一致的工法降低差異性來提升優良率等等的方式。

然而在進入網際網路時代後，生產者的供給遠高過消費者的需求，因此把產品做出來相對簡單，但要把產品賣出去的難度卻大大提高了。此外，資訊的快速流通也造成消費習慣快速變化，故市場的需求也越來越難捉摸。

因此，再次提醒：企業敏捷化的目標是讓企業可以快速反應市場的變化。讓產品或服務儘快推出以面對市場，並依據取得的反饋來改善企業所提供的產品或服務，使其在市場上更有競爭力。

敏捷夥伴迴響

> **Jasmine Huang**　Leadership & Culture Development Ambassador

在組織發展的案例中，我們常常聽到許多高階經理人投入很多時間、金錢及熱情在協助組織轉型上。然而現實中，我們卻很少看到真正成功組織轉型的案例。原因可能是大部分組織內的人往往在「轉型學習」（Transformational Learning）上失敗，因為他們很少願意去深入探討並挑戰組織習以為常的策略和流程。

而當我反思鈦坦科技敏捷轉型的成功要素時，我想也許是在組織導入敏捷之前已經花時間思考「組織為什麼要導入敏捷？」、

「想看到什麼改變？」、「想解決什麼商業問題？」，與管理團隊一起釐清方向，對齊目標後，當時的總經理 Yves 帶領管理團隊積極地透過上課的學習，一步步了解敏捷的核心精神，以及聘請外部敏捷教練協助循序漸進由上到下改變傳統的管理思維，勇於挑戰並重新思考組織的政策，進而打造出永續的敏捷文化。他的務實作法，也充分展現出「不要成為公司的絆腳石」的領導者風範。

Chapter.5
全局戰略

如何運用專案管理
讓敏捷更好

有一位軟體工程師、一位硬體工程師和一位專案經理一同坐車參加山上的研討會。不幸在下山時車壞在半路上了，於是三個人就如何修車的問題展開了討論。

硬體工程師說：「我們可以把零件一個一個拆下來，找出原因，排除故障。」

軟體工程師說：「我們應該全部下車，再重新上車發動引擎試試看。」

專案經理說：「根據經營管理學，應該召開會議，根據問題現狀寫出需求報告，制訂計劃，安排時程，經由 alpha 測試， beta 測試來解決問題。」

如同以上故事中所描寫的，在專案中專案經理是不容易討喜的角色，但對專案又非常的關鍵，那如何算是一位稱職的專案經理呢？也許看完本章您會有答案。

接觸敏捷之前，我在 2009 年取得國際專案管理師（PMP）的證照，對我來說，準備證照考對專案的理解有很大的幫助，因為 PMP 的教科書 PMBOK 中擁有完整且鉅細靡遺的專案管理相關的知識，也提供了許多專案管理的工具和方法。

不過，我當時遇到的問題是：儘管我可以對專案的各種細節掌握得很清楚，但過程之中不管怎麼實踐都卡卡的，規劃明明很完整，但結果都跟期待總有落差。所以我增加更多的控制，比如說把需求寫得更詳盡，追蹤會議開得更密集，檢討會議批評得更用力。而這種種增加控制的方法，好像並無法促使專案進行得更順利，反而讓大家心更累，進度更慢，發生的事故更多。

直到接觸敏捷之後，應用團隊自組織的方式，比如將需求落實的方法交由團隊成員討論，工作分派由團隊自行決定，團隊自行提出改善方案。以前由主管或專案經理主導變成團隊自行掌控，儘管控制變少，專案的透明度反而提升了，專案進行得更順利的同時，團隊也因為看到自己的價值，體認到自己可以對公司和產品產生影響力，從而提高投入度並且更開心地工作。也因為團隊需要掌控專案，所以我認為 PMBOK 的方法並沒有過時，專案管理反而成為團隊成員的必備技能。從一個專案經理掌控全局，轉變成為人人都具備專案管理的能力。

　　如果對 PMP 或專案管理有興趣的朋友，請參考周龍鴻（Roger Chou）老師所創立的長宏專案管理顧問公司，台灣八成以上的 PMP 是從長宏培養出來的。

　　如想要更深入瞭解軟體專案管理的朋友，推薦 Fable 寓意科技的創辦人施政源（Paul Shih）所寫的《軟體專案管理的 7 道難題：新創時代下的策略思維》一書，可以更深入的理解軟體專案的運作方式，以及如何在實務上解決專案的問題。Paul 也在本書第八章中，分享在 Fable 實踐敏捷的心得。也因為專案管理比較生硬，所以我嘗試用一些生活化的例子，來描述如何在日常中應用專案管理，讓大家可以輕輕鬆鬆了解專案管理的概念，知道選擇合適的工具來管理專案，從而提升生活和工作的品質。

　　而敏捷式的專案管理，就是善用傳統專案管理的知識，然後用迭代的方式，以團隊自我管理的方式運作，就能讓敏捷與傳統專案管理的知識相輔相成，內外兼修，把爹不疼媽不愛的專案，管理成爹疼媽愛自己愉快。

　　接下來，我們要進入本書的核心——詳談專案的推動，即介紹 14 個敏捷的專案管理運作。

但在正式開始前，我想先談談關於「如何了解客戶的需求」。

客戶的需求，與夢中情人有高度相似之處——不管列出再多條件，不過是僅供參考。比如我們常常會要求對方身高一定不能低於多少、體重不能高於多少、個性要溫柔體貼、目標是勤奮顧家……，但往往我們最後選擇的對象，並不完全符合自己所開出來的條件。

回到客戶的需求，若客戶提出的需求非常具體，如另一半的身高等這些可以量化的標準，這還算好解決；但諸如溫柔體貼、勤奮顧家這些抽象的要求，到底要怎麼衡量？

其實，只要知道如何找夢中情人，就知道如何了解客戶需求。

第一、取得頻繁和快速的回饋

敏捷開發原則中提到要「經常交付可用的軟體」，頻率可以從數週到數個月，以較短時間間隔為佳。

同樣以尋找夢中情人為例，若想要找尋適合的另一半，當然要多創造遇見新朋友的機會，畢竟夢中情人從天上掉下來的機率比被隕石打到還低呀！不管是聯誼、朋友介紹、上課、參加社團……，只要多方開源就可以增加機率，還可以知道自己的偏好。而應用到客戶需求上，我們可以利用原型（Mock Up，也就是縮小比例的模型或是簡單的視覺呈現，比如說畫個草圖），演示（Demo，用說明加上一部分產品的視覺或使用呈現，比如說用紙張畫些操作界面，以顯現畫面使用上的變化），最小可行性產品（Minimal Viable Product，又稱 MVP，先做一定必須要的功能，如果市場反應不錯，再持續增加功能）等，以最簡單的方式來確認客戶喜歡的產品為何。

Scrum 裡定義短衝長度是一到四週（實務上建議最好二週以下）的原因，也是為了儘快讓利害關係人看到可用的軟體，從而取得回饋來調整下一個短衝的走向。

從產品待辦清單（以下簡稱清單）排序和內容的變動幅度，可看出團隊有沒有取得回饋。照理說，在競爭的環境中，清單的排序和內容應該會有劇烈的變動；若很少或幾乎沒有變動，通常會有兩個狀況：一是團隊的開發模式還是偏向傳統那種一開始就全盤規劃的那一套；二是 PO 和團隊沒有從短衝回顧會議或產品的使用上取得足夠的資訊。這時，團隊應該花時間在研究分析新的功能上線後對使用者的影響。如果取得回饋後不調整走向，就如同發現自己喜歡運動型的女孩，但卻一直跑茶道社的活動一樣矛盾，為什麼不改去街舞社呢？

第二、盡可能多溝通

敏捷開發原則也提到：「業務人員與開發者必須在專案全程中每天一起工作。」為什麼要每天一起工作？若只是坐在一起，並沒有幫助，所以這句話的核心意旨是──業務人員與開發者要常常交換意見和釐清需求。

如同尋找對象，在鎖定了目標之後，要更清楚地了解對方的一切，就需要靠溝通了。而溝通最重要的技巧是主動聆聽（ Active Listening ），多多挖掘對方內心的想法並給予真誠的回饋，這才是最重要的。

回到我們的正題，如果沒辦法跟客戶面對面怎麼辦？這時，善用 AB 測試（A ／ B Test），同時發佈兩個以上不同的產品版本讓真實的使用者使用，但控制一個變因，從而判斷使用者喜歡哪一個版本，或是哪個版本帶來的成效比較好。就像在臉書上，我的帳號一直都沒有「掃 QR 二維碼」就可以加入好友的功能，但是我朋友的帳號有這個功能，這就是臉書的工程師在做 AB 測試。

AB 測試是產品開發最好的朋友,可以用這個方式來觀察使用者的行為記錄,聽到使用者內心的聲音。

但是,找夢中情人和開發最大的差別是:夢中情人不需要天天見面也可以維持感情;而軟體開發若連續幾天沒聯繫或更新資料,雙方認知可能就天差地遠了。

第三、感覺比事實重要

〈敏捷宣言〉說:「**個人與互動重於流程與工具。**」

夢中情人的相處是靠感覺,喜歡只需要一個理由,不喜歡的理由卻有千百種。同理,客戶滿不滿意是看客戶心情。若跟客戶關係好,服務水準協議(Service Level Agreement,簡稱 SLA,在資訊產業代表的是一個品質保證,比如說 Google AI 服務的可運行時間為每月 99.5% 以上,也就是每個月總時數是 720 個小時,乘以 1 - 99.5% = 0.05,也就是 3.6 個小時的無法運行時間,只要是當月的無法運行時間是 3.6 個小時以下,使用 Google AI 的客戶都需要接受)破表都不重要;但若是跟客戶關係不好,客戶連在雞蛋裡都會挑骨頭。所以,跟客戶有點私交通常是加分的。

但如果客戶是沒辦法有機會面對面的廣大的使用者呢?

心理學是 PO 和開發團隊的必備工具。第七章的「選配裝備」提供了一些實用的書單提供給大家參考。而軟體開發跟找夢中情人在此可以歸納一個共同點:對心理學有了解都會加分——畢竟產品都是為人而生的!

在由多年專案管理顧問經驗的張國洋（Joe Chang）與姚詩豪（Bryan Yao）經營的 ProjectUp 專案管理生活思維中，也可以找到許多專案管理的應用和思維。

ProjectUp 專案管理生活思維

敏捷夥伴迴響

Chester Chan SMALL POTATO

敏捷管理是一個在專案生命周期中深具影響力、以求達成具體目標的方法。他讓團隊成員在工作安排上更有彈性，清楚進行的狀態，強烈的團隊連結，還有跟傳統瀑布式比較起來更加透明化。

Yves 是啟發我開始進入敏捷管理的講師，因此我強力推薦此書給任何想要提升管理技巧的人。

如果每個人一起往前移動，成功會自然發生。 ——亨利‧福特

1 基礎入門簡介 Projects Management Introduction

人生也是個專案，有開始有結束，而且每個人都不一樣

十年前很熱門的一個詞：Project Management Professional（PMP），現在越來越少聽人提起了；而現在大家關注的是什麼呢？大概是 Certified Scrum Master（CSM）吧，因為 CSM 的課程似乎越來越多。但如果連 PMP 都這麼慘，那考試上又比 PMP 更加簡單的 CSM，實在令人擔心——CSM 是不是會像 PMP 一樣被搞爛？我只希望不要在兩年之後，市場上多了一批「說的一口好 Scrum 的 Scrum Master」。

雖然說敏捷倡導的是「做產品（Product）」而不是「做專案（Project）」，但時不時碰到專案還是不可避免的，所以 PMP 裡面的內容，有不少還是有參考價值的。然而，由於 PMP 在工具跟流程上多所著墨，引起不少人便藉此反對 PMP：都導入敏捷了，還需要 PMP 嗎？

〈敏捷宣言〉中說「個人與互動重於流程與工具」，可不是說只要「個人與互動」，不需要「流程與工具」呀。

其實敏捷開發是把許多之前專屬 Project Manager 的職能轉移到團隊身上，所以與其說揚棄專案管理，不如說是要變成團隊全員對專案管理都要有所理解才行。而且敏捷大多只談心法、內功和框架，外功還是要靠其他課程如 PMP 來補足。更何況，PMP 談的工具都可以跨領域應用，有些放到敏捷開發來實踐也有添翼的效果。

因此，接下來，我們會從專案管理的角度來重新學習敏捷開發。

A project is a temporary endeavor undertaken to create a unique product , service or result.
專案就是用暫時努力來創造出一項獨特的產品，服務或結果。

「專案」要符合兩個特性：

第一是暫時性，沒有明確開始或結束的就不叫專案。

第二是獨特性，如果過程或產出跟其他工作差不多也不叫專案。

那，不叫專案要叫什麼呢？

對此，我們通常會稱作為營運（Operations），就是只要重複做的普通事項。故一般企業裡大部分的事務都是屬於營運。

這樣說可能有點抽象，我們以實際的例子來做說明吧。

先從上述的定義來看，請問：下列哪些符合專案的定義？

1.我要去香港玩。
2.我今年要去香港玩。
3.我今年要去香港自由行，是我第一次去。
4.我今年要去香港自由行，行程會跟上次一樣。
5.我下禮拜要帶團去香港，同樣的團已經帶 5 次了。

想好了嗎？

來，我們一一公布正解：

首先，1 絕對不是專案，因為沒有明確開始跟結束的時間。

其次，2「可能」是專案，因為有明確時間（現在起到年底）；然而從此句中看不出獨特性，因此目前無法判斷，需要有更多資訊才行。

次之，3 很明顯是專案，因為有明確時間及獨特性。

再來，4 不是專案，雖然有明確的時間，但沒有獨特性（雖然依照去年行程走會遇到不同的人，但整體而言差異不大）。

最後，5 也不是專案。這很明顯是導遊的工作，所以對他來說獨特性非常低，可以直接歸類在營運了。

現實生活中，只要差異不會太大，沒什麼獨特性的工作，我們一般都會歸類在營運。

專案管理的架構

專案管理最小的單位是流程（Process），每個流程有自己的輸入資訊（Input）、工具和技巧（Tools & Technique）、與產出資訊（Output）。

打個比方，若 Input 是食物，Tool & Technique 就是母雞，Output 就是雞蛋。就算食物（Input）都一樣，但因為每隻母雞的體質不同（對工具和技巧的使用和理解），他們生出來的蛋（Output）也會差很多。

為了便於理解和記憶，在 PMBOK（PM 聖經，Project Management Body of Knowledge）中，先把流程按照專案進行的時間順序分為五大群，如起始、規劃、執行等。然後把相近知識內容的流程群分類到九大知識領域，如時間管理、成本管理、人力資源管理等。

換句話說，要查任何一個流程都可以從時間軸（五大流程群）來查，也可以從知識分類（九大知識領域）來找。

常見迷思

Q1 考過 PMP 就會管專案嗎？

其實 PMP 考試和考多益一樣，很多的 PMP 班都是教考試猜題。但多益考了滿分 990，就可以流利地使用英語？答案顯而易見。我建議五年管理經驗以上的人再去學，缺乏實務體驗，與紙上談兵無異。

Q2 專案管理聖經 PMBOK 裡的東西太理論不實用嗎？

身為專案管理者，要按照專案特性和時空環境的考量，選擇合適的流程和工具使用。就像有些母雞吃了飼料後會下蛋，但有些母雞吃了飼料後什麼產出也沒有。都是讀一樣的書，為什麼會有差異呢？重點還是在於應用者的經驗和理解呀！

Q3 只有專案經理才需要學專案管理嗎？

我認為也許我們不需要跟專業的一樣厲害，但瞭解專案管理的概念和一些常見作法，其實對我們自己的工作或人生有很大的幫助，比如說搬家、裝修房子、小孩的學習計劃、旅遊出行，這些其實都是專案，懂得專案管理會讓您的人生更輕鬆。

2 利害關係人 Stakeholders

能幫專案成功的人不多，能讓專案失敗的人不少

之前某大學的領導學程，以「為了台灣的未來」為口號，打算進行一個登山活動，但舉辦活動需要錢，因此他們以群眾募款的方式想籌得資源，但失敗了。

這件事引起了各方的討論，有人覺得問題在於「自己的夢為什麼別人買單？」有人覺得問題在於「自詡菁英的口吻」……，而個人認為，他們失敗的最大原因是──沒做好利害關係人管理。

很多專案也是這樣，因為漏掉了重要的利害關係人或低估他們的影響力，因此導致結局以失敗收場。

在上述事件中，主要的利害關係人有：

A.無條件捐錢以支持活動的人
B.知曉此事但不捐款的人
C.也在為其他專案募款的人
D.純粹嫉妒某大學學生的人

一般的募款專案，只要考慮 A 跟 B 就夠了。但因為這所大學的名聲和豐富的資源，掛上大學的頭銜之後，反而造成 C 跟 D 的出現和反彈，而且 D 的數量可是佔了絕對多數。

這事件給我們最大的教訓就是：利害關係人通常沒辦法讓您成功，但絕對可以讓您失敗。

▶ 專案管理中的角色

在軟體管理框架中，要跑一個專案通常會有四種角色：

(1) 專案贊助者（Project Sponsor）：
一位，即給錢支持專案的人，通常是高階管理者，對專案成敗負政治責任。

(2) 專案經理（Project Manager，簡稱 PM）：
一位，是實際運行監控專案的人，對專案成敗擔負直接責任。

(3) 專案團隊（Project Team）：
人數不一，只要有參與專案的人都算在其中。

(4) 利害關係人（Stakeholders）：
人數基本上是數不清的，因為是指除了著手進行此專案的人以外，所有會被這專案影響或對這專案感興趣的人。

前三個角色容易明白，但最後一個利害關係人比較難懂，因此以下將針對「利害關係人」加以說明：

▶ 誰是利害關係人？

我們假設以「結婚」為一個專案，若要找出利害關係人，可以按照以下步驟進行：

(1) 先把所有想得到的人列出來。
新郎、新娘、新人雙方父母。

新娘的哥哥、新娘的妹妹和阿嬤。

小時候見過一面的表哥阿賢、家族中有威嚴的大嬸婆、喜歡八卦的五阿姨。

隔壁鄰居、好朋友、一般朋友、同事、不太熟的朋友。

媒婆、公證人、婚宴廠商、花童、攝影師、婚禮祕書。

新聞媒體、同一天辦婚禮但彼此不認識的人、路人、社會大眾。

（2）找出專案人員。

專案贊助者：婚禮主要是誰付錢？如果是新人雙方的父母，那他們就是專案贊助者。

專案經理：婚禮是誰負主要責任？沒意外的話應該是新娘和新郎，但現實中通常是新娘主導就是了。

專案團隊：婚禮上誰會實際出手幫忙？公證人、婚禮秘書、花童、攝影師、婚宴廠商、媒婆。其實有些應該算是供應商，但為了簡便，我們就先把他們通通當做團隊成員。

（3）把所有其他人員分類。

依照其他人對婚禮的興趣（Interest）和對婚禮影響力（Power）的大小分類。

> **常用工具**

1 預期管理（Expectation Management）

不管實際或客觀上的結果再好，只要關鍵利害關係人的預期高過結果，對他們來說專案就不算成功。

比如帶另一半去高級餐廳吃飯，只要另一半不滿意，就算花再多錢、吃再好的料理，結果都是失敗的。

所以利害關係人的預期要被了解、溝通和調整，讓他們看到結果時感到驚喜。

所以說穿了，其實到最後，專案的成敗都是以關鍵利害關係人的主觀意見為主。

② 溝通計劃

訂好要跟誰溝通，溝通什麼，什麼時候溝通。這部分會在後文〈溝通管理 Communication Management〉中詳細說明。

常見迷思

Q1 每個利害關係人都要盡力滿足嗎？

不，利害關係人管理就是經由分類，找出利害關係人的優先級，讓我們可以把時間花在刀口上，而不會陷入要讓每個人都滿意的困境。

Q2 利害關係人只要應付就好嗎？

從利害關係人身上，可以取得對專案成敗很有幫助的觀點和細節，善加利用可以讓專案更順利，所以應該要用心對待。

Q3 利害關係人的影響力或對專案的興趣不會變嗎？

利害關係人的職務變動，目標的更改或是資源分配的狀態，都會造成影響力或興趣的改變，其變化之大，甚至可以是一夜之間從隔壁老王變爸爸。

所以，到底「利害關係人」重不重要？

您覺得呢？

3 組織影響力 Organizational Influences

> 有人就有政治，政治力也是實力

A 家和 B 家都安排今年要環島家族旅遊。兩家的人數都是 8 個人，旅遊天數都預定一個禮拜，預算也都安排了 20 萬。但，他們的行程跟結果會一樣嗎？

當然不會。

同理，在跑專案時，就算團隊經驗能力、時程、預算都差不多，結果也可能天差地遠。

而造成差異最主要的原因就是——組織的影響。

《晏子春秋》中曾記載著故事「橘逾淮而為枳」，故事提及不同地域的土地孕育出不同品種作物，這充分說明：周遭環境對事物的影響是很大的。

而專案的生長環境，就是組織。

在分析組織的影響力時，有三個重點可以觀察。分別是組織架構、權力關係和組織文化。

（1）組織架構

組織架構就是看看團隊的成員和關係，比如：

A 家旅行成員：祖父母共四位、A 夫婦兩位、讀小學的小孩兩位。

B 家旅行成員：B 夫婦兩位、弟弟夫婦兩位、讀國中的青少年四位。

觀察成員的組成和年紀，就可以大概猜到行程的安排。

如 A 家就會是以看景點、減少走路的行程為主；而 B 家就可能會偏向比較需要體力，甚至是重體力例如露營之類的行程。

看組織圖時，功能分類、人數、向誰報告（Reporting Line）都是觀察重點。Reporting Line，中文翻譯「直屬主管」，也就是由哪一位主管提供指令，成員需要對哪一位主管負責。在日常企業管理中，需要避免「一個和尚挑水喝、兩個和尚搶水喝、三個和尚沒水喝」的情況。

試著端詳專案的組織圖，看看專案從哪裡發起，也可以大略猜到專案的偏向、重要性跟擁有的資源。

右圖為網路廣為流傳的組織結構圖，看得出不同組織的運作模式嗎？觀照一個組織的運作，不只是檯面上的組織架構，也要看清楚檯面下的權力關係。

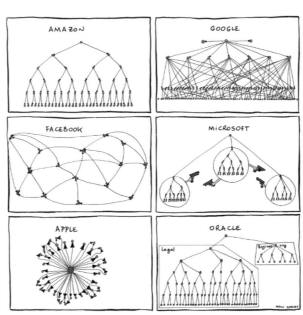

圖片來源：www.bonkersworld.net

在組織行為學中，一個人有兩個以上的 Reporting Line 都是大忌。

因為會出現權責不分與目標衝突的風險。

■ （2）權力關係

權力關係除了看 Reporting Line，還要觀察隱藏的權力關係——很多權力關係是「看」不出來的。

比如三十年前就跟著老闆起家的老員工、與董事長眉來眼去的總機小妹、喜歡到處串門子的打掃阿姨等，這些人都擁有在組織圖上看不出來的權力。

回到一開始的例子：

A 家雖然長者多，但也可能因為疼愛孫子，結果行程都跑比較受小孩喜愛的地方。

因此，權力關係決定了專案受到關注的程度、可以享受到的資源、由誰來主導專案以及專案的利害關係人有誰。

而組織基本上可以分成三種：

ⓐ 功能導向的組織：按照專業分部門，功能部門主管有絕對的主導權。

ⓑ 專案導向的組織：不同的專業人員編組到同個部門，專案經理有絕對的主導權。

ⓒ 平衡型的組織：團隊成員需同時對 PM 和功能部門主管報告。

（3）組織文化

組織文化是指成員共通的價值觀、習慣、信仰等，不但影響專案偏向，更關係到專案成敗。如在一個保守怕犯錯的組織，要推行敏捷的困難度就一定比新創公司高。

以最初的例子來説，若 A 家喜歡吃美食，B 家要求住宿品質，他們的偏好就會影響專案的預算分配。同理，組織的文化也會相當程度影響到資金的配置。

以下是比較常見的衡量組織文化的方法，雖然舉例有點極端，而大部分組織都是在中間分布，但可以藉此觀察所舉的例子比較偏哪一邊：

（1）工作是為了吃飯／工作是為了服務社會

（2）以老闆説的為主／大家要有共識

（3）犯錯是學習最好的方式／不容許有犯錯的機會

（4）讓客戶願意付錢最重要／服務好的話客戶自然會付錢

（5）能力就是一切／有關係就沒關係

（6）主管的存在是為了幫助員工／主管享有頤指氣使的特權

（7）獲利要靠降低成本／獲利要靠創造價值

了解以上組織架構、權力關係和組織文化的影響力之後，我們來依序介紹相關的常用工具：

① 組織圖（Organization Chart）

要了解組織，第一步先研究正式的組織圖，並學習怎麼看組織圖。

② 聊天聚餐

要了解隱藏的權力關係跟組織文化，有意識地從聊天跟聚餐中觀察是最好的方法。

③ 利害關係人分析

知道權力關係後，要按照他們重要性分別管理。這在前一個部分已經提過了，如果沒有印象，請往前看。

常見迷思

Q1 平衡型的組織架構是最好的嗎？

組織架構沒有好壞，只要能最大化帶給客戶價值就是好的架構。而平衡型架構在很多時候會帶來團隊成員的混亂，因為兩個老闆（部門主管和專案經理）常常會因理念不同而有不同的優先順序和目標。

Q2 組織文化太爛怎麼辦？

組織文化沒有好壞之分，文化就是慣例跟習慣的產物。

組織能存活到今天或許就是靠著這樣的文化，不能活下去的文化再多人喜歡都沒有用。但這不代表依靠同樣的文化可以一直生存下去，所以要試著接受目前文化，並隨環境改變成更適合存活的文化。

Q3 組織文化不可能改變嗎？

文化是行為的展現，而行為是想法的展現。只要想法改變，行為就會改變，行為改變就會影響文化改變，再細小的改變日積月累也會變高山。想讓文化改變，講究的是持續發生細微改變，而不要期待一次性看到大變化爆發。

綜上所述，回到一開始的問題：A家和B家的環島家族旅遊，其行程跟結果絕對不同。

但有什麼樣的差異？

這就要一一分析兩家的組成架構、權力關係和家族文化了。

五大流程群組 Process Groups

目標就是北極星，指引著專案的方向

專案管理聖經 PMBOK（Project Management Body Of Knowledge）中，有數十個流程，要一一看過又記得是不可能的。為了容易理解和記憶，PMBOK 把流程分為五個大群組，他們跟專案生命週期有關係。

專案生命週期

專案前期，利害關係者對專案走向的影響大，改動的成本也相對低。而到了後期，利害關係者可以造成的影響越來越小，改動成本也越來越高。

然而要注意的是，對專案走向的影響力變小，不代表對專案成敗的影響力變小，還是有人可以輕易地讓專案失敗。

比如：一家人決定要去旅遊，旅館和行程都已安排好，但大姊突然說非五星級飯店不住。這時，要變動的成本就很高了，除了原訂旅館的訂金會被收取以外，還要負擔更高星級的飯店費用。因此，其他人為了避免損失，基本上會反對大姊的決定，於是大姊只能選擇接受住原訂的飯店或乾脆不參加旅遊。而其中最重要的是，原本旅遊的目的是增進家人間的感情，但由於沒有滿足大姊的需求，可能大姊從此以後就不參加家族旅行，甚至減少與家人的聯絡，這就使原本讓家人聯絡感情的目標失敗了。

產品的每個階段都會重複一次五大流程群組。

五大流程分別是「啟動」、「規劃」、「執行」、「監控」和「結束」。

每個流程群組包含了數個流程，這些流程我不建議特別去記誦，只需要知道概念就好了。

概念有點類似管理循環 PDCA（Plan-Do-Check-Act，循環式品質管理，針對品質工作按規劃、執行、查核與行動來進行活動，以確保目標之達成，並進而促使品質持續改善）。

一個專案可以只是一個階段就完成，而大的專案可能會切成好幾個階段（Phases），通常專案中期的人力和成本是最高的。

如果延續家族旅遊當例子，在五大流程會發生這些事情：

▌（1）目標設定

有目標才有方向，沒有目標和太多目標就沒辦法凝聚共識。

目標一定要控制在三個以內，並要列出優先順序，而且要符合 SMART 原則：Specific（明確的目標）、Measurable（可衡量、量化的數值）、Attainable（可達成的目標）、Relevant（和組織、策略相關的）、Time-based（有明確的截止日期）。

很多人會說玩就是目標，但玩可以是為了休息、體驗不同生活、聯絡感情、認識不同的人等等，不同目標會產生不同的行動計劃。

▌（2）商業提案

所有的專案都要符合成本效益。也就是問問自己：專案創造的產品、服務和結果，值得我們投入時間和精力去做嗎？

Q1 目標不可以改嗎？

其實只要贊助者同意，目標是可以改的。

當然，每改一次目標，讓團隊重新聚焦就要再花些時間，這是要注意的。

Q2 計劃不可以變嗎？

如果我們可以控制颱風不要來，人不要生病，計劃當然可以不變。可惜我們不是神，環境變了狀態變了，計劃自然要改。但改計劃一定是痛苦的，特別是已經耗費了很多的時間和心力在準備工作和流程中。這也是為什麼，在經常變化的環境中會流行用敏捷式專案管理。因為敏捷式的方法講求用短時間的迭代，避免花過度時間做一定會改變的計劃。

雖然如此，但訂定中長期目標當做作方向，還是必須的。

Q3 商業價值一定是錢嗎？

錢一定是商業價值，但商業價值還包含了除了錢以外的事情，比如說降低風險、提高知名度、提高留任率、提升客戶滿意度，儘管最後結果都會影響營收，但就專案本身目標不一定只能是錢。

5 九大知識領域 Knowledge Areas

專案就像是由九條繩子所編織成的一副網，牽一髮動全身

上篇文章我們提到：專案管理聖經 PMBOK 裡有五大流程，而這邊我們要進一步討論的是，PMBOK 裡把專案管理相關知識整理成的九大領域。

剛開始，我會對其複雜度感到吃驚，但深入後會發現——其實很多都是我們平常就在做的事情。

因此我很佩服 PMI 可以把這些東西整理得很有系統。

No.	知識領域	說明	舉例
1	Integration 整合管理	協調所有的流程，決定輕重緩急。	對預算和旅行計劃取得共識。照計劃旅行，並監控，需要時做修正。
2	Scope 範圍管理	可分為產品範圍和專案範圍，應該包含和不包含哪些東西，讓專案可以剛剛好到達目標。	確認停留的地點和會玩的活動。
3	Time 時間管理	讓專案在指定時間內完成。定義活動，活動排程，活動時間和資源的估計，控制時程。	確保大家在七天後平安回到家。
4	Cost 成本管理	讓專案在授權的成本內完成。成本估計、預算與控制。	確保預算保持在二十萬以內。
5	Quality 品質管理	讓產出符合顧客的期待。經由品質規劃、品質確保、品質控制。	了解大家對行程的期望，管理大家的期望和調整行程符合期望。

No.	知識領域	說明	舉例
6	Human Resource 人力資源管理	讓團隊可以達成專案目標。藉由人力規劃、取得團隊、提升團隊能力、和管理團隊。	安排開車的人，注意他們精神狀況，如果路不熟提供 GPS。
7	Communica-tion 溝通管理	讓對的資訊在對的時間到達對的人。溝通規劃、資訊分發、成效報告、利害關係者管理。	行程通知和確認。每天重複宣佈當天行程。管理大家的期待。
8	Risk 風險管理	提高好事發生的幾率，降低壞事發生的幾率。風險管理規劃、風險識別、風險分析、風險反應規劃、風險	注意天氣，路況。買旅遊保險。準備建議藥品。
9	Procure-ment 供應與採購管理	購買或取得團隊沒有的資源。	飯店、導遊、當地腳踏車、餐廳。

以上，我們可以再次運用先前提過的環島家族旅遊例子。

人數都是 8 個人，天數預定一個禮拜，安排了 20 萬的預算。那您會如何套用到各個知識領域呢？

Q1 一定要照 專案管理聖經 PMBOK 的流程跑嗎？

第一，PMBOK 完整流程是給大專案用的，小專案不需要完整的流程。

第二，PMBOK 在每個知識領域都會做個免責聲明：每個知識領域在現實中會互相重疊和影響，但太多細節要考慮了，所以請依據專案情況自行調整。

我的建議是：流程不重要，先有自己的一套流程，有需要時再加入調整就好。

Q2 知識領域之間有關聯性嗎？

九個知識領域比較像是九條繩子，而專案就像是由九條繩子所編織成的一副網，拉扯任何一條繩子，都會致使網的形狀改變。就像我們只要更改任何一個知識領域的內容，比如說人員從 5 人變成 6 人，所有的知識領域也都可能會連帶影響變動，所以都需要重新檢視一次。

Q3 有哪一個知識領域特別重要嗎？

如剛剛的比喻，專案就是知識領域編織成的網子，所以都很重要，如果沒有注意到其中的盤根錯節輕易地改換，就容易被網子纏住。所以專案經理通常注重的是全才而非專才的能力，必須看著全局的網子如何動態變化，思考應該如何調整，而不是只熟悉或關注其中某一條繩子。

6

整合管理 Integration Management

專案經理的核心職能是整合力,不是接線生

很多人都認為專案管理聖經PMBOK是沒辦法直接應用的,我也這麼認為。特別是書中的流程是分開說明的,實際應用時,流程間更是有千絲萬縷的關聯性,無法完全獨立區分。

而 PMBOK 為了讓不同種類的流程有個中心主軸,讓各流程有互相溝通的地方,就有了整合管理這一群組。

整合管理也是我在讀 PMBOK 的時候最痛苦的章節,因為比起其他部分,整合管理是非常抽象的。

舉例來說,整合管理類似船長,船長可以決定要往哪個方向前進,並且要以多少的速度航行;而其他的流程群組就像是船員,執行掌舵和輪機等行動。沒有船長,船就沒有方向;沒有船員,船就沒辦法航行。

假設現在我們有個專案,內容是要用船把一櫃貨物運送到香港。

No.	流程	說明	舉例
4.1	Develop Project Charter 產出專案章程	展開專案章程並取得授權,重點要放在專案的效益。	船長獲得船東的許可,可以出港。
4.2	Develop Preliminary Project Scope Statement 產出初步專案範圍說明書	展開初步的專案範圍說明書,說明大致的範圍。	從高雄到香港的航行計劃。
4.3	Develop Project Management Plan 產出專案管理計劃	如何讓各種計劃互相協調的專案管理計劃	如何溝通,如何安排人力等等的計劃。

No.	流程	説明	舉例
4.4	Direct and Manage Project Execution 指導及管理專案執行	執行專案管理計劃以達成專案範圍説明書的目標	按照航行計劃開船，並按溝通、人力等計劃實施。
4.5	Monitor and Control Project Work 監視和控制專案工作	監控所有的流程以達成專案管理計劃中的績效目標	24小時有人值班，監控雷達、天氣預報、和引擎狀況，有問題馬上回報船長。
4.6	Integrated Change Control 整合變更控制	審查所有的變更需求，批准變更和控制變更	所有對航向和速度的變更要由船長同意。人力排班由大副同意。
4.7	Close Project 結束專案	正式結束專案	船到回港下完貨，纜繩繫好，船長跟船東通知安全靠港。

> **常用工具**

① 把目標視覺化

　　有時我們會落入「為了做而做」，盲目地遵循計劃，卻忘了最終目標是什麼。

　　所以應該要將目標放在最明顯的地方。

② 現地現物（Go And See）

　　文件並不能詳盡記錄所有事情，很多事物一定要實際到現場看才能被發現。

3 時間管理矩陣（Urgency vs Importance Matrix）

又稱為「艾森豪矩陣」（Eisenhower Matrix）或稱作「優先矩陣」（Prioritization Matrix），屬於一種工作分類的概念，依照重要性（important）與急迫性（urgent）的程度將工作分為四類，了解並認知事情的輕重緩急，抓大放小。

7

範圍管理 Scope Management

敏捷就是先決定期限，再決定範圍

傳統的 PM 只管專案，不管產品，所以產品好不好，基本上是產品經理的事。

專案範圍（Scope）可以細分為產品範圍（Product Scope）和專案範圍（Project Scope）兩項。產品範圍即完成的產品、服務或結果，需要的特性（Features）跟功能（Functions）；而專案範圍則是指要完成產品範圍需要做的工作。專案管理聖經 PMBOK 中也把範圍管理局限在專案範圍。

但敏捷開發團隊是以「產品」為主，怎麼能不管產品好壞呢？所以在敏捷開發中談範圍，首先要找出產品需要的特性（Features）跟功能（Functions），再來才談要完成需要哪些工作。具體事項會呈現在 PO 負責的產品待辦清單上面的項目，和開發團隊負責的短衝待辦清單上的工作。

所以成功的範圍管理會問：「要創造成功的產品、服務或結果，需要什麼功能或特性？」以及「要完成這些功能或特性，需要哪些工作？」此外，也要控制好團隊只做這些工作，要把時間花在刀口上。

工作分解結構 WBS——Work Breakdown Structure

從上到下拆解完成一個專案所需的功能和工作。

以吃晚餐這件事為例，假設家裡有媽媽、爸爸、小明、小莉四個人。

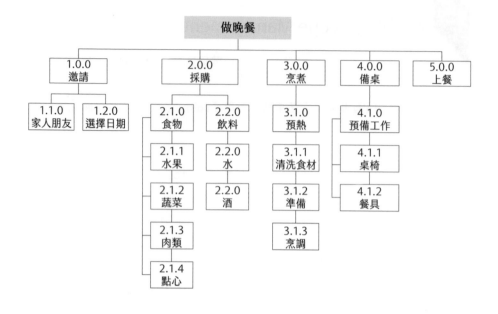

No.	流程	説明	舉例
5.1	Scope Planning 範圍規劃	產出如何定義、確認和控制專案範圍的計劃	定出規則：晚餐要吃什麼由媽媽提出。不同意的人就換他煮。分量以吃的完，不留隔夜為原則。
5.2	Scope Definition 範圍定義	產出專案範圍説明書	媽媽説晚餐是蔥花蛋一盤、麻辣豆腐一盤、空心菜一盤、白斬雞半隻、白飯四碗
5.3	Create WBS 產出WBS	產出工作分解結構（Work Breakdown Structure）	買食材：蛋一打、蔥一把、空心菜兩把、麻辣豆腐跟白斬雞外帶 煮飯：煮白飯、洗菜、煮蔥花蛋、炒空心菜，煮白飯，加溫麻辣豆腐 吃飯：每人一碗白飯，菜擺盤子上放餐桌中間 洗碗：4個盤子、4個碗、4雙筷子

No.	流程	說明	舉例
5.4	Close Project 結束專案	讓範圍被正式接受	媽媽提出的大家一致通過，因為沒人想要煮。
5.5	Scope Control 範圍控制	控制專案範圍的變更	媽媽買菜時發現蔥太貴了，把蔥花蛋變成煎蛋。又接到電話爸爸要加班不回來吃，就不買麻婆豆腐，剩下來的菜和飯給爸爸帶隔天便當。

常用工具

1 排序：把功能和特性需求從 1、2、3、4、5……照重要性順序排列下來，然後按照順序施工。這個方法很簡單、很有效，但沒多少人做。

要記得，當所有的工作事項重要性都是「非常重要」，代表每件事都「一樣不重要」。

2 莫斯科分析（MOSCOW）：把想到的功能和特性，依重要利害關係人分類。

　　a. Must Have：一定要有，沒有的話產品不可能上線發布。

　　b. Shall Have：最好要有，但沒有也可以上線。

　　c. Could Have：可有可無。

　　d. Won't Have：一定不會有。

3 KANO 模型：依照使用者的需求區分。

　　a. Basic 基本型需求：「怎麼可以連這都沒有」。

　　b. Performance 期望型需求：「應該要有」。

　　c. Excitement 魅力型需求：「居然會有」。

隨著時間的推移，一個需求會從「魅力型」變成「期望型」，最後成為「基本型」。

④ INVEST 原則：每一個要開工的產品工作事項（Item）要符合 INVEST 原則。

    a. Independent　夠獨立

    b. Negotiable　凡事皆可談

    c. Valuable　有價值

    d. Estimateable　可估計

    e. Small　夠小

    f. Testable　可以被驗證已做完

⑤ MVP（Minimal Viable Product）最小可行性產品：投入最少的資源，用最短的時間，把產品推到市場上，盡快取得使用者反饋來決定下次應該推出的功能。

常見迷思

Q1 範圍一定不能改嗎？

    在一般專案中，時間、經費、人力等等因素都比較難變動。反而範圍是最容易、也最應該被討論和修改的。

Q2 多做多好嗎？

    做出超過的範圍，專案術語叫幫專案鍍金（Gold Plating）。

    越多越好？這是錯誤的認知，成果要滿足使用者和利害關係者的期望，但不是做超出專案所需要範圍的工作，做超過的部分會是浪費。

Q3 工作分解結構越詳細越好嗎？

    拆解到團隊成員看得懂並且能使用即可，在敏捷式專案管理的話，只有即將要做的事項才會拆解得更細。實務上需要小到可以隨著時間看到事項在看板上狀態的流動，比如兩天內可以從進行中流動到已完成。如果看到流動性很低，也許是該事項太大了。

8 時間管理 Time Management

什麼都重要，代表什麼都不重要

時間不足大概是每個 PM 都有的困擾。很不幸的，專案管理聖經 PMBOK 中的提到的時間管理，並不會魔法般讓時間增多。

專案時間管理跟一般日常的時間管理有點區別。一般的時間管理講究的是優先順序和輕重緩急，這些在專案中是由整合管理來處理；而專案中的時間管理，討論的是如何在既定的時間內完成專案，例如找出需要做的活動，將活動排程，管理時程等。

一個稱職的 PM 在已經盡力安排但進度仍沒辦法趕上時，應該要參照專案管理金三角（CSSQ），去協調並嘗試改變範圍（Scope）、成本（Cost）、或爭取充裕的時間（Schedule）。而在敏捷專案管理中，是把時間這最重要的資源保持不變（Time Boxed），進而把範圍（Scope）當做最具有彈性的變項，在固定的時間內爭取產出最大的價值。

舉例來說，如果我們把小明的一生當做一個專案，用時間管理來分析：出生、讀幼稚園、讀小學、讀中學、讀大學、工作、創業、退休、交女朋友、結婚、生小孩、養小孩。

相依性 Dependency

有些活動有先後關係。如上述的例子中，要讀中學就必須先讀完小學，這時我們就會說讀中學要依靠（Dependent on）讀小學。

把各個活動間的相依性找出是很重要的，但有時我們會被一般觀念限制住。比如上大學才能交女朋友。

找出這些假性限制，多發展一些可能性，對順利完成專案是很重要的。

里程碑 Milestone

有些活動重要性和代表性遠高過其他活動，那我們就會把他當作里程碑，來看看跟自己規劃的差多遠。延續上述例子，如大學畢業，結婚，生小孩，創業，退休。

滾動式規劃 Rolling Wave Planning，也叫湧浪式規劃

這應該是專案管理聖經 PMBOK 裡最接近敏捷的一個字。用逐步精進（Progressive Elaboration）的方式，把近期要做的事情規劃得比較詳細和具體，而比較遠期的事情就保持大略和抽象就好。

如小明在十二歲時，近期需要思考的可能是國中要怎麼念才會對未來最有幫助，為此他訂出具體的讀書計劃；至於結婚或讀大學，是比較遠期的事情，在十二歲當下，想再多的細節都是浪費時間而已。

時程壓縮 Schedule Compression

在不改變專案範圍的前提下，讓整體專案的時間長度縮短。有兩個常見做法：

（1）趕工（Crashing）
　　簡言之就是花錢買時間。

以上述例子來說，即為了減少自己找女朋友的時間，小明決定只要有人願意與他結婚，不但不用聘金，還送一棟房子給對方。但要注意，有時雖然專案時間縮短了，目標卻沒有達到。承上例，比如原本要找愛您的人結婚，現在結婚對象卻變成愛錢的人。但當然，如果目的只是跟「人」結婚，那就無所謂了。

（2）抄捷徑（Fast Tracking）

把原本依序（Sequence）進行的活動改為同時（Parallel）進行。半工半讀就是最好的例子，或是上述的小明可以邊讀大學邊生小孩。

通常 Fast Tracking 伴隨的代價是風險升高，在還沒到時機就先進行，失敗或重工的機率會高一些。

但回到敏捷的精神——了解風險後，想做就去做吧。

專案時程 Project Schedule

這是一個專案時程的範例，可以看到有把里程碑、每個活動、活動的相依性和長短顯示出來。

常用工具

① 類比估算法 Analogous Estimatimg

假設我們很想結婚，要預估一下自己結婚的年紀。

類比即是從過去類似的經驗來判斷，比如詢問長輩、親戚、朋友大約在幾歲結婚，詢問後參考這些經驗訂出自己的估算。

② 專家判斷法 Expert Judgement

找最專業的人來判斷。比如到戶政事務所詢問，所居住的縣市或鄉鎮市區的人平均幾歲結婚，以獲得的數據做為估算依據。

③ 三點估算法 Three Point Estimates

考慮不確定性與風險，提高活動期程估計值的準確度。

a: Most likely 最有可能的情況：問到的平均是 32 歲。

b. Optimistic 最好的情況：最早是 19 歲

c. Pessimistic 最差的情況：不結婚

④ 預留分析 Preserve Analysis

預留緩衝的時間來應對風險。

如原本規劃 30 歲結婚，但考慮到自己延畢兩次（大學加上研究所），於是跟爸媽說打算 32 歲結婚。

> **常見迷思**

Q1 稱職的 PMP 專案管理專家就是要讓規劃一次到位，全部規劃完成才能往下執行嗎？

整個人生都規劃到細節了，這一生也就過完了吧？

滾動式規劃才是最適合當前多變的環境的方法。

在敏捷中，甚至只有接下來一周到一個月之間會做的事，才著手進行細部的規劃。

Q2 專案時程不可以變動，至少對老闆而言是不能變，有變就代表我能力不好？

都遇到夢中情人了，還要跟著計劃走嗎？

假設原本想要 30 歲結婚，但遇到慣性劈腿的對象，難道還要堅持結婚嗎？

Q3 走一步看一步，長期規劃就不用做了嗎？

不是不做「長期規劃」，而是不用做「長期細部規劃」。

長期規劃是個目標指引，對導引專案方向很重要。

比如小明對某個領域有熱情，高三選填志願時就可以選擇相關的大學科系就讀。

9 成本管理 Cost Management

節約成本的前提是要保持品質不變甚至提升

後來我們會發現一個很重要的事實——預算有限。但要怎麼讓每一分錢都花在刀口上呢？

PMBOK 中，成本管理談的是如何讓專案在被授權的金額內成功完成。不僅如此，還要考量專案完成後，產出的產品、服務和結果，以及在使用、維護和支持上的成本，這也稱為生命週期成本法（Life Cycle Costing）。

雖說成本管理很重要，但真正的專案管理應該要注重價值（Value）遠大於成本（Cost），Cost Down 到最後就是變成跟台灣的公共建設一樣，由最低價值得標，然後一直壞一直修修補補。然而這樣都還算好，最差的是變成蚊子館，連修修補補都不用。沒人用的東西，花一塊錢都是浪費。

精確度要求 Order of Magnitude

在不同的時間點，對成本的估計有不同的精確度要求。隨著時間的推移，成本估計應該越來越精準。如專案起始階段，我們對成本的把握度有 -50% 到 +100% 的差異，而到開始執行時，把握度升高到到 -10% 到 +15% 的差異。

回到問題本身，目前我個人非常推薦的成本管理常用工具有下列幾項：

1 投資報酬率 Return On Investment（ROI）

  投入後的回報除以投入的成本。如果沒有要大於一，就表示虧本
了。就算大於一，也要把時間和機會成本納入考量。

2 類比估算法 Analogous Estimating

  問問周遭有經驗的人，大概的成本約是多少，再依此去做推估。

3 參數估算法 Parametric Estimating

  利用已知的參數來估算成本。

4 儲備分析 Reserve Analysis

  分析要準備多少儲備金才不會週轉不靈。

5 表現測量分析 Performance Measurement Analysis

  以目前專案的進度獲得的價值是多少，來判斷專案的完整度。

常見迷思

Q1 控制成本就是要讓成本不變動嗎？

  控制的意義是，在完成目標的前提下，要怎麼樣分配讓每分錢都用在
刀口上。通常是總數保持，但細項變動。管控細項過嚴，後果就是逼大家
買發票做假賬。

Q2 成本越低越好嗎？

  建構時低成本可能帶來營運時的高成本。而且重點要放在收入而非支
出。正確觀念應該是，在相同預算內，讓價值越高越好。

Q3 有預算就要花完？

　　如果可以用更少的錢達到相同的目標，這就展現了自己的能力。有錢就要花完這個是官僚的概念，如果組織內有這種情況，也許要注意是否在懲罰節省預算的人，比如以預算執行率來看成效，就會造成把預算隨便花完這種濫銷經費的行為。

10 品質管理 Quality Management

對顧客來說，品質是一種感受而不是數字

回到專案管理聖經 PMBOK 中對品質的定義，所謂的品質好就是專案產出的產品、服務或結果，符合使用者的期待。

有趣的是，如果我們提供高於顧客預期的產品呢？那最好能以後都提供一樣好的產品，因為這次好的品質會提高客戶的預期，所以當回復原本的品質時，顧客感受到的是品質下降，反而讓他們不滿意。所以品質講究的是穩定性，讓品質維持在一定的區間。

因此，顧客滿意度最常用來反應品質的變動，但滿意度的取得通常緩慢而且還容易被周遭環境影響。所以也可以用更具體客觀的方法來反應滿意度，如客訴次數或回購率。

持續改善 Kaizan／Continuous Improvement

持續改善是品質管理很重要的核心。顧客的期待會隨時間提高，主要是因為人性求新求變和廠商的相互競爭。沒有一直追求改善的組織，會被市場淘汰掉。

而改善靠的不是一味 Cost Down，而是找出更有效率的方法，在不影響品質的情況下降低成本。

品質圈 Quality Circle

有效的改善來自於對實作和現場的了解。誰最了解實作和現場呢？當然是第一線的人員。

品質圈就是讓第一線的人員，定期聚會討論如何改善。Scrum 中的 Retrospective 就是同樣的概念。

停止生產線 Stop the Line

鼓勵大家，當問題或瑕疵發生時，離開停下手邊的工作，找出問題發生的原因，避免之後問題的發生。

短期來看是會降低產出，長期來說因為潛在問題點減少，讓產出更穩定，減少瑕疵品，從而降低成本。

自動化 Jidoka／Autonomation

我一開始以為是自動化，其實是完全相反的意思。自動化是讓系統在問題發生時，自動停止生產線，所以瑕疵品不會被持續地製造出來，也就是停止生產線概念的延伸。

常用工具

1 標桿分析法（Benchmarking）
跟自己或業界的標準比較，讓大家知道進步的目標在哪。

② 魚骨圖／因果圖（Cause And Effect Diagram）

　　找出和分析瑕疵發生的原因。

③ 80／20 分析（Pareto's Law 80／20）

　　從最常發生的瑕疵開始改善，因為百分之 80 的事故都是由百分之 20 的原因造成。只要解決這百分之 20 的原因，就減少了百分之 80 的事故。

④ 流程圖（Flowcharting）

　　列出流程步驟，讓過程視覺化幫助了解和分析。

⑤ 成本效益分析（Cost Benefit Analysis）

　　因為改善是一輩子都做不完的，所以要找目前最能創造最大效益，花費最低成本的改善方案來做。

11 人力資源管理 Human Resource Management

公司只能給權限無法給尊重，尊重要靠自己獲得

團隊是專案最關鍵的元素，是人。

但關於人力資源管理的章節，不知道為什麼被專案管理聖經 PMBOK 放到那麼後面。對此，我猜測是由於流程導向的思維，就是要把人的變異性降到最低，讓每個人都變成高可取代性，那人員重要性就不高了。

然而就我自己的經驗，將人員變異性降低這點在軟體開發上是不太可能發生的，所以要是我來排的話，絕對會把人力資源管理放第一順位來討論。

有關係就沒關係 Networking

連專案管理聖經 PMBOK 裡也說建立關係很重要，如吃飯、聊天、聯絡感情，別再說只要專心工作就夠了。但絕對不是吃吃喝喝聊八卦，而是藉由對談，互相深入了解個性和價值觀，建立默契。

我看過績效強的團隊，向心力都很高，有默契，價值觀契合，所以團隊裡的私交都不錯。把工作跟生活分得清清楚楚的團隊，績效最多也就還過得去，跟績效強的團隊還有好一段差距。我個人的解讀是，工作跟生活分很開的人，應該是自己的價值觀跟組織差異太大。因為在工作上強迫自己戴上另一副面具，跟真正的自己差太遠，所以一下班就趕緊要切得乾乾淨淨，要不然壓力太大可受不了。

工作規則 Ground Rules or Working Agreements

國有國法，家有家規的概念。工作規則就是團隊中人人都要遵守的一條規矩。在 Scrum 和敏捷開發中也有相同的概念，就是工作協議（Working Agreements）。跟工作規則（Ground Rules）最大的差別是，工作協議是由團隊自行討論和決定的，並且要靠團隊自覺去遵守。

同地合作 Co Location

讓團隊都在同一個地點工作，面對面的溝通也是最有效率的溝通。而必須遠距離協助的團隊成員，也要盡可能在專案初期就安排在同一地方工作一陣子，這是因為見面三分情，對之後的默契和協調都會很有幫助。

常用工具

① 組織架構和影響力分析
可以參考本章節第3單元──組織影響力。

② 教育訓練 Training
訓練的模式有很多種，講課只是其中一種，上機實作、分組討論、分享會都是蠻有效的做法。訓練的重點要放在如何驗收訓練成果，有些可以短期看出結果（如工具使用的熟練度），有些要靠長期觀察（如服務客戶技巧），但都要長線追蹤來判斷訓練是否有效，並作為之後教育訓練的參考。

③ 團隊凝聚活動 Team Building Activities
很多人以為這是做些團康活動，大家開開心心把妹就好了。但其實差很多，一個成功的團隊凝聚活動，要可以創造體驗、提出反思、進而

改善工作上的方法和流程。

④ 觀察和交談 Observation And Conversation

　　這件事很基本，但很難做好。觀察和交談的能力是需要鍛煉的，同時也是一個稱職的資深人員、管理人員和 SM 必備技能。

⑤ 視覺化專案進度 Visualization Of Project Status

　　讓團隊一目了然現在專案的情況、遇到的困難、現狀和目標的差異。

⑥ 衝突管理 Conflict Management

　　利用「湯瑪斯——基爾曼衝突解決模型」（Thomas-Kilmann Conflict Mode Instrument，TKI）來分類和管理衝突。台灣文化偏向鄉愿，認為衝突是不好的。往往只迴避衝突，但其實衝突應該是個互相了解和學習的好機會，可以善用衝突。此外，衝突指的是想法上的不同，而不是肢體上的打架。

常見迷思

Q1 我沒有權力，所以沒人聽我說的怎麼辦？

　　尊重是自己贏來的，不是別人給的。實質影響力比職銜重要，而影響力的先決條件是信任而不是權力，如何讓團隊信任我說的話跟提出來的建議，比用權力強迫他人聽話重要得多。

Q2 人和就是保持皇城內的和氣嗎？

　　人和不是鄉愿。鄉愿是避免衝突，而人和是鼓勵觀念的交流，讓大家思想觀念得到整合。還有衝突跟搞政治不同，衝突是對如何讓團隊好有不同想法，搞政治是如何讓自己更有利。

Q3 換個人影響不大，誰來做都差不多怎麼辦？

越是技術密集或是知識密集的專案，換人的影響就越大；反之如果是勞力密集或是資本密集，換人的影響就比較小。

溝通管理 Communication Management

時間長不代表有溝通，過度溝通好過溝通不足

溝通是專案中最重要，但最不被重視的事情。

有效的溝通可以提前發現問題，避免問題的發生，與讓成員分享資訊獲得學習。在專案管理聖經 PMBOK 中說到，溝通是專案經理最繁重的工作，形形色色的溝通會佔掉專案經理大約 80% 的時間。而在敏捷和 Scrum 中，溝通的工作是由 Scrum 團隊每個成員都要負擔的責任。

溝通理論

這有點學術，可以參考底下內容。不想細讀也沒關係，只要記住這則溝通鐵律：「別人所理解的跟您想說的，不可能 100% 一樣。同理，您理解的跟別人想告訴您的，也不可能 100% 相同。」

溝通基礎模型圖

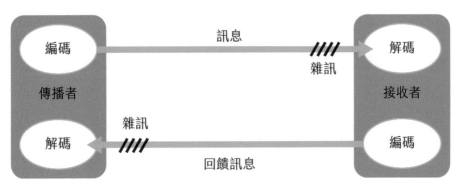

舉例來說，當我們嘗試要表達想法時很緊張，就可能漏講一些內容（編碼 Encode 不完整），傳送過程又有雜訊（Noise 周圍噪音、分心），別人收到後因經驗不同而誤解（Decode 解碼不同）。我們能做的只有讓自己表達清楚，減低雜訊，用對方可以理解的方式來溝通，盡可能減少失真。

有效率的溝通方法

根據 Cockburn 的研究，最有效率的溝通方法是面對面加白板。從最高到最低分別是：面對面加白板、面對面、視訊、電話、錄影、Email、錄音，紙本。那我們有多常用面對面的溝通和白板呢？這也是之前人力資源管理提到，最好讓團隊在同一地點的原因。

更糟的是，沒效率的溝通方式，如文件和 Email，還往往是我們溝通的第一選項。

常用工具

① 利害關係人分析 Stakeholder Analysis
可以參考本章節第2單元——利害關係人。

② 會議
會議是最常用來同步資訊的方法，而會議中通常會討論以下事情。
a.回顧：在過去的這段時間，我們達到什麼成果？
b.規劃：在接下來的這段時間，我們要達到什麼成果？有什麼行動方案？
c.反思：在過去的經驗中，我們有學習到什麼，有什麼方法和流程是我們可以改善，並在接下來的這段時間應用？

發生頻率通常至少每週一次，每個月都會有月總結，整年度再看一次。也有公司舉辦季度或半年會議，可以先從密集一點開始，再把沒有效率的會議刪除。

控制會議時間很重要，最好的方法是準時開始，強迫結束，幾次後大家就會說重點了。

a. 日會：15分鐘內。對團隊成員交換信息很有幫助。

b. 週會：1個小時內。

c. 月會：3個小時內。

③ 溝通三寶：筆、白板、便利貼

在所有溝通模式中，面對面使用白板溝通，不管在溝通的有效性和資訊的豐富性都遠勝過其他方式。而用紙卡和便利貼寫 Item 的好處是，只能寫重點，而且有實體拿在手上，能讓大家容易排序和交換討論，對話的機會比起投影器上冷冰冰的感覺提升不少。如果有用視覺化的看板，更會覺得實體的看板比電子看板要有溫度多了。

想想也真有趣，開發科技產品，最有效的方式竟然是回到紙、筆和面對面的溝通。

常見迷思

Q1 他沒救了，我怎麼講對方都聽不懂，怎麼辦？

說的人要負責講聽眾聽得懂的話，聽者沒辦法理解的話表示自己專業知識或溝通技能還不到位。

Q2 永遠都要用最高效的方法溝通

每個溝通方法都有成本，而通常越高效的成本就越高，比如說面對面高通最為高效，同時需要安排的時間和見面的成本也越高。所以盡可能選擇合適的方法就好了。

Q3 有需要再溝通就好

　　我認為溝通這件事是過度好過於過少，有個說法認為就是要過度溝通（Over communicate）。因為過度溝通可以增加信任，隨著信任增加可以視情況建設溝通頻率；而溝通不足會傷害信任，再建立信任就比較難了。

13 風險管理 Risk Management

風險隨時都在，出門就是一種風險

通常我們聽到風險兩個字，都會認為是發生負面或不好的事情。其實在專案管理聖經 PMBOK 中，風險是個中性的字眼，代表的是不確定性，而不確定性有可能帶來好處跟壞處。專案管理的藝術就是把壞事發生的機率盡量降低，而把專案發生好事的機率盡量提高。

換句話說，高風險代表可能會帶來高度的利益和損失，而低風險是會帶來輕微的利益或損失。而我們的焦點要放在高風險的對策上。

假設 Assumption

「假設」在傳統專案和敏捷專案管理中都是很重要的概念。假設就是所有我們猜想的事情，而隨著專案進行，要優先證實或推翻會對專案帶來最大影響的假設。

就像對於開車出門會不會塞車這件事，我們可以假設不會塞車或會塞車。其檢核（Verify）假設的方法就會是去看看 Google Map 上的紅線。

正面風險處理 Positive Risk Treatment

Positive Risk 又稱為機會（Opportunity）

① 利用 Exploit：利用消除正面風險的不確定性，確保機會一定能夠降臨

② 分享 Share：跟其他人分享機會發生時的好處

③ 提高 Enhance：辨識出增加機會發生的關鍵動因，並且提高它的發生機會，或發生時的好處

④ 接受 Accept：若是機會來了會願意接受，但是不會主動去做任何改變

負面風險管理 Negative Risk Treatment

Negative Risk 又稱為威脅（Threat），負面風險的回應策略有 4 種：

① 避免 Avoid：確保威脅不存在，也就是迴避風險發生的可能性

② 轉移 Transfer：找其他人一起分擔威脅發生時的損失

③ 減輕 Mitigate：減少威脅發生的機率，或造成的損失

④ 接受 Accept：不做任何改變

常用工具

① 機率與影響矩陣 Probability And Impact Matrix
  是一種將風險發生機率和造成影響視覺化的工具

② 優勢劣勢機會威脅分析 SWOT Analysis
  能用以分析機會與威脅的工具

③ 五個為什麼 5 WHYS（Root Cause Identification）
  找出問題根本原因的方法

④ 決策樹 Decision Tree
　　分析和找出要採取的對策

14 採購管理 Procurement Management

對供應商苛刻就是對自己的未來苛刻

採購管理裡面最重要的議題，即是採購的產品是否有解決到問題、符合我們的期待、達到專案成果。

在專案管理聖經 PMBOK 中，對採購管理的定義是：取得或購買完成專案所需，但專案團隊無法提供的產品、服務或成果。

在傳統專案管理中很注重合約的簽訂，在合約中會清楚定義需完成的事項（範圍）、時程、金額、雙方的權利義務、約束和懲罰條款。此處指的合約並不限於公司和公司之間的商業合約（Contract），也可以引申為專案團隊和公司內部其他部門的協議。

而在近年開始風行的敏捷合約，則是依照敏捷的特性，一般不約定固定的範圍，而是按照時間與材料計價。

常用工具

① 自製或採購分析 Make or Buy Analysis
在專案的範圍和成本內，分析所需的產品或服務，是由專案團隊自製比較有利，還是對外採購比較有利。

② 專家判斷 Expert Judgment
如果團隊沒有所需的知識和經驗，會建議邀請具有相關知識與經驗的專家來參與討論提供建議。

③ 利益交換

　　可以談判的條件並不限於金額，也可以從時程（用時間換空間）、影響力（被我們使用後的正面效應）等不同面向來談判。如果對口是內部，也可以交換手上的人力物力資源。身為專案經理，手上的資源都要可以有效的對專案有幫助，所以不能平白無故給予別人。

④ 績效評量 Performance Review

　　針對供應商所提供的服務或產品，舉辦定期的評量。

⑤ 合約 Contracts

5.1　固定金額型 Fixed Price Or Lump Sum

　　這個很常見，約定固定的金額和需完成的範圍和時間。

5.2　成本可償還型／實報實銷型 Cost Reimbursable

　　由買方支付賣方生產所需要的成本，在加上一定金額的收費（也就是賣方的利潤）。通常有以下的分類：

　5.2.1　成本加費用型 Cost Plus Fee（CPF）or Cost Plus Percentage of Cost（CPPC）

　　　買方支付賣方的成本，然後依據最終的成本所計算的比例收費。

　5.2.2　成本加固定費用型 Cost Plus Fixed Fee（CPFF）

　　　買方支付賣方的成本，再加上一個固定金額的收費。

　　　成本加激勵費用型 Cost Plus Incentive Fee （CPIF）

　5.2.3　買方支付賣方的成本，再依結果或品質支付激勵獎金。

5.3　時間與材料型／論件計酬型 Time And Material（T&M）

　　通常不規範所需完成的範圍，而是依照花費的時間和材料收費。

Q1 買方永遠最大嗎？

在您簽約掏錢前一定是最大的，簽完約後，就看運氣了。

Q2 一切照合約走？

合約是最後一步，也就是要對簿公堂的手段。但一般來說生意是為了求財，賺錢才是重點。能在平時有良好互惠的關係，可以幫助專案進行得更順利。

Q3 自己做比買的划算？

通常我們會考慮除了薪資之外的成本，一般來說一個人員的成本大約是他薪資成本的三倍，這樣算起來，自己做不一定划算。

15 本章小結

以人生來作為一個專案管理的比喻：

> 我們的家人是一個專案團隊（人力資源管理），朋友和同事就是專案的利害關係人（利害關係人管理），每個人對您的人生都有不同的影響（影響力分析）。
>
> 具體的安排如我們人生的每一天、每一分鐘如何安排（時間管理），還有金錢要花在哪些地方（成本管理），以及要靠哪些外在的力量的協助（採購管理）來達成夢想。此外，在面對選擇時要如何取捨（風險管理），如何對家人、朋友、同事保持聯絡（溝通管理）也包含在其中。
>
> 最後，這一生想要完成那些事情（範圍管理），對走過這一生的期待是什麼（品質管理）更是重要的課題。

而我們自己，就是人生的專案經理，我們需要考量人生的不同階段（五大流程群組），盤點以上種種不同的因素和條件（九大知識領域），掌握人生的目前狀態和方向（整合管理）。

每個人的人生都不同，就如同每個專案都不一樣，重要的是「以終為始」，活出自己想要的人生。

" Angeline Ang, Ph.D.　Embracer of Change

　　敏捷——簡單有力的兩個字，幫助了我的團隊有效率地管理和完成專案。在之前專案會永遠在「進行中」，現在工作事項會一個個完成，因為團隊成員現在更自組織，而且對彼此的工作當責。當我們接觸到敏捷管理後，透明化和團隊內部溝通也大幅提升，謝謝Yves。我強烈建議想要生活或工作表現更好的人運用敏捷管理。"

附錄
他山之石

這些年我們一起走過的敏捷路

1 我與鈦坦的敏捷成長史

Yves

當我在分享敏捷經驗時，最常遇到的回應是：「敏捷不符合我們公司的文化。」

與大貍一邊整理部落格文章的同時，我也同時在經歷過去六年來一幕幕在鈦坦科技的敏捷導入過程。回憶起公司從 2005 年在新加坡由 3 個人新創，到目前 300 多人的跨國企業一路發展，而所謂的鈦坦文化也是一直在改變中。

在 2009 年接任總經理時，公司約 30 位夥伴。我是個全然的管理小白，只知道要把事情做好搞定，工程師出身的我還身兼了客戶經理、專案經理等等角色，授權對我來說只是個教科書上的高大上名詞，因為我覺得沒有人可以做得比我好。這時候鈦坦文化的文化就是專制，所有大小事都是我說了算。

直到 2013 年回來台灣服兵役，一年的時間沒有在新加坡公司，公司也是營運得很好，我以前自認為只有自己能處理好的客戶關係與專案管理，夥伴也都駕輕就熟。

這時候我才看見了自己的傲慢和自以為是，然而在慶幸公司沒有我也可以運作的同時，我也開始陷入了迷惘：身為一個主管，我到底要做些什麼？

很幸運地經由當兵時同梯的介紹，上到了聯聖企管的陳宗賢老師與陳致瑋老師所教授的企業管理課程，打開了我對管理的認識──原來主管要負責的是建立企業管理的系統，提供舞臺讓夥伴可以展現他的能力，而不是自己把舞臺佔了。

因此我一頭栽進了企業管理的樂園，企業的八大功能：「行人生財研總資管」，即行銷、人資、生產、財務、研發、總務、資訊、管理，每個功能都是那麼地重要與專業，身為主管不可能也不需要全部會做，但要有全局觀和對每個功能重點的認識。

在學習企業管理的同時，也跟夥伴們一起逐步把鈦坦的管理制度建立起來，在 2013 年到 2016 年的三年時間，從不知道如何開會（是的，公司成立八年來我們沒有開過定期會議，只有處理緊急事故的會議），到導入日會、週會、月會、年會，讓大家可以同步訊息。

從員工薪資由主管拍腦袋決定，到定出職級升遷系統，使得薪資標準有依據。從所有大小事我拍板說了算，到制定權責表、員工手冊與 SOP，讓系統自行運行。從認為工作就是把事情做好，哪有時間學習，到公司編列固定的教育訓練預算，希望大家可以持續學習成長。

的確，在各種制度建立起來後，大家各司其職，我感覺自己輕鬆許多，改善最大的部分是行政、人資和營運相關的事務，因為有了 SOP，大家都有所依循，事情看起來也井井有條地運行。

但在軟體開發的部分，儘管許多夥伴包含我自己也取得了國際專案管理師（PMP）的證照，也就是在第五章敏捷與專案所提到的內容。架構很完整內容也很豐富，但實際應用起來總是卡卡的，專案時常延遲、產品上線問題一堆、高人員流動率等等議題持續發生，但我自認已經盡力了，總總的問題都是客戶不合理的要求、夥伴固執不配合、公司資源有限等等的原因所限制，總之千錯萬錯，就不是我的錯。

回頭看當時的文化，就像是官僚一樣，專業分工，井水不犯河水，一切都想要制度化、都要流程化。

直到 2014 年軟體專案開發的部分進入了超級黑暗期，過去趕工所埋下的地雷開始爆發，產品不斷的出問題，前途對我來說一片黑暗，這時候聽說了敏捷（Agile）這個軟體開發方法，可以讓產品開發更快，更好的是還不用做測試，對我來說就像是在大海漂流的時候看到了浮木，不管如何也不會比當時更糟了，就試試看吧。

　　我們邀請 Odd-e 的敏捷教練 Stanly Lau 進入鈦坦，找了七名志願者成立了第一個 Scrum 團隊。因為我們不知道什麼是敏捷，也想要避免原本的企業和組織系統綁住了團隊的發揮，我們就決定所有的公司規定和流程，這個團隊都不需要遵守，甚至該單位的主管也不需要插手，完全由 Stanly 來決定這個團隊要做什麼和怎麼做，我們等三個月後再來看結果。

　　原本我的設想是團隊在三個月後會回復開始跑 Scrum 的開發能量，但產能還是只有之前的一半，讓我開始懷疑敏捷到底在搞些什麼？難道又是一個流行的名詞嗎？

　　我跟 Stanly 表達了我的憂心，他就邀請我以觀察者的身份參與團隊的短衝規劃會議，也就是純看會議的過程，不發言、不參與討論。隨著觀察會議的進行，我的心情越來越糟、也越來越生氣，因為我發現：許多基礎的系統架構、產品的需求和背景知識，原來團隊都不理解，而且團隊成員都是至少在公司服務 1 - 2 年以上了。我生氣的是，原來我們以前所投入的教育訓練、資源和時間，都是浪費。

　　但我更生氣的是我自己，竟然不知道這個現實狀況，還自以為管理很厲害。而之前無法看到的原因，除了組織的層層架構外，還有在專制時期累積下來大家不敢說話的文化，與官僚時期大家覺得不要管閒事的文化。

在經歷了內心的生氣三溫暖後，我暗暗做了一個決定：我要持續導入敏捷到公司中，因為敏捷讓我看到了真實。

值得一提的是，原本我想導入敏捷只是為了幫助產品開發，沒有想到慢慢的，敏捷的精神感染到了其他的部門，甚至讓鈦坦轉變成了敢說話能傾聽的文化，這個是一個意外的禮物。

回到「敏捷不符合我們公司的文化」這個議題，從一開始的專制老闆說了算的文化，到制度化只要顧好自己少管閒事的文化，轉變到敏捷敢說話能傾聽的文化，那到底什麼算是鈦坦真正的文化呢？

我認為文化是由人的行為塑造的，而人的行為是由思維所掌控的，當我們改變思維，就改變了行為，也就改變了文化。所以我認為文化只是一個現象，真正核心的問題是：您工作開心嗎？您覺得工作有意義嗎？您想要改變嗎？

我相信的是每個人都不同，組織和企業是由人組成的，自然每個組織和企業都是不同的，也都會發展出屬於自己敏捷的樣貌。以我自身的經驗而言，鈦坦導入敏捷前後的狀態和文化確實有了改變，那麼，導入敏捷後我們做了什麼事情呢？

在瞭解 Scrum 可以幫助大家看到真實情況後，我們就開始徵詢公司內部有沒有人有意願當 SM。我那時的打算是，如果沒有人有意願，那就表示 Scrum 對我們來說還不是時候，儘管這方法論再好，如果沒有人願意推動，是不可能落地執行的。結果竟然有人志願出來擔任全職的 SM，而且還是當時已經擔任主管職的 Maryanto，於是 Maryanto 就成為了鈦坦第一位 SM。

我認為願意擔任 SM 的人都很有勇氣，因為即使是現在，瞭解到 SM 的價值並且願意提供全職 SM 職缺的公司都還是少數。擔任 SM 就像是大航海時代

的探險家一般，航向的是一個充滿未知的海域。

在 2014 年開始導入敏捷後，鈦坦慢慢地由原本一個 Scrum 團隊，以三個月增加一個 Scrum 團隊的速度擴展，大約在 2015 年底所有的開發團隊才都跑過 Scrum。會這樣慢慢擴展的原因是因為我們發現導入 Scrum 後產能會大幅降低，最主要的原因是大家都在學習和磨合新的工作方法，不論是 Scrum 的框架、彼此如何配合、技術實踐、甚至如何說話和溝通，都是全新的學習，所以產能降低是合理可以預期的。

大約在三到六個月之間才會回復導入 Scrum 前的產能，之後隨著團隊的成長產能就能夠逐步提升。

但公司要盈利要賺錢，如果每個團隊都降低產能，不要說導入敏捷了，搞不好過一陣子公司就倒了。所以我都會建議用逐步推行的方式，而不是一次過的全面導入，況且，敏捷的方法就是小步快跑，逐步試錯，套句鈦坦 SM 黃世銘（Sam Huang）的話：「導入敏捷的過程也要敏捷。」如果全面導入，那就是傳統瀑布式的做法了，那怎麼算跑敏捷呢？

Scrum 是一個很簡單的框架，但易學難精，需要很多的實踐經驗，因為我們導入的時間很早，網路上也沒有什麼資料參考，所以我們幾個夥伴就加入敏捷社群取經，到敏捷社群聽取大家跑 Scrum 的經驗。

除了加入新加坡的敏捷社群，我在台灣的敏捷社群也遇到很多跑敏捷的前輩們，跟他們學習了很多在實際操作敏捷與 Scrum 時會遇到的情況與處理方式，所以我也會建議想要跑敏捷的朋友多多往社群走走，畢竟許多實際的情況，是書跟網絡上找不到答案的。

第一步當然是學習 Scrum 是什麼。

我們參加的活動大致有：

①　泰迪軟體陳建村老師（Teddy Chen）的 Scrum 和看板課程

②　滕振宇（Daniel Teng）的開腦洞 Scrum Master 認證課程 CSM

③　Odd-e 敏捷教練呂毅老師（Lv Yi）的產品負責人認證課程 CSPO

④　LeSS 創始人 Bas Vodde 的 LeSS 大規模敏捷課程

⑤　孫妮老師和呂毅老師合作的進階 Scrum Master 課程 ASM

以上都讓我們更瞭解 Scrum 如何運行。

　　每一個活動背後的意涵是什麼，更棒的是當把工作上的問題提出來，老師們都有自己獨到的經驗和見解，在不同做法的同時又都充滿了實驗精神，真的是非常有趣的學習過程。

　　同時，因為敏捷是個很新的概念，所以我們參與了許多的社群活動學習，鈦坦科技也贊助了新加坡敏捷年會（Agile Conference）、台灣敏捷高峰會（Agile Summit）、和各地的敏捷旅程（Agile Tour），還有一個目的是在讓更多人知道敏捷的同時，產業界也會出現更多熟悉敏捷的人才。

　　也因為各種社群活動的機緣，才有機會跟各國高手第一手互動，例如成長思維（Growth Mindset）的推廣者 Linda Rising、來自新加坡渣打銀行的 Marcelo Cosas、全員參與制的推廣者 Jutta Eckstein、新加坡政府技術局的

Steven Koh、東南亞各國的產品負責人社群 Product Tonic 發起人 Michael Ong、使用者體驗大師陳啟彰（Nor）、最頂尖的使用者體驗公司 AJA 創辦人陳文剛（David Chen）等等、UX in the Jungle 和精實畫布咖啡館桌遊的設計師林德政（Der-Jeng Lin），社群是幫助我和鈦坦成長的重要土壤。

當團隊熟悉 Scrum 的運行方式後，接下來會遇到三個挑戰，第一個是在自組織的團隊如何讓溝通流暢與決策，第二個是產品和技術能力的瓶頸，第三個是在企業組織面如何幫助團隊。

針對如何讓溝通流暢，鈦坦邀請業界簡報課程最知名的王永福老師（福哥）教授簡報技巧與內部講師培訓。簡報技巧可以幫助在傳達訊息時讓受眾更容易吸收，特別是對客戶簡報或是宣布事項的時候。

在鈦坦的升遷制度上，規定資深人員除了自己的能力還要可以教人的條件，這樣才能讓組織整體提升，所以提供內部講師訓練給夥伴們。

在人與人溝通的部分，則邀請澄意文創的周震宇老師教授 DISC 人格特質分析課程。周震宇老師是專業聲調訓練師並且充滿了同理心與溫度，在課程中夥伴們瞭解原來每個人都是如此不同與特別，同時可以改變自己的說話方式以利於跟對方連接。有許多的夥伴也參加了李崇建老師的薩提爾模式工作坊，讓我們敢說話直來直往的對話多了許多的溫度，幫助我們彼此的連結。在大量的培訓與練習後，鈦坦的夥伴們不但打破大多對工程師不會溝通的偏見，而且還可以獨當一面直接面對客戶釐清需求。

而對於自組織團隊如何決策的挑戰，我們遇到的問題是團隊內部沒有傳統主管的角色，所以當大家意見僵持不下時，就會選擇投票決定，或是共識決。使用投票決定容易造成有輸有贏，輸的人會不爽對決策不買單，使得投入程度下降。而使用共識決雖然可以讓大家都對決策滿意，但要達成全部都同意的共

識曠日費時，對於企業來說不符合效益。

　　幸虧在 2016 年的時候，經由 Odd-e 香港的敏捷教練麥天志（Steven Mak）的介紹，認識了 ICA（The Institute of Cultural Affairs，文化事業學會）這個在全球提倡推廣團隊引導與團隊參與的非營利組織，並跟有數十年引導經驗的專業引導師 Lawrence Philbrook（Larry）和林思玲（Frieda Lin）學習如何引導，鈦坦也在 Larry 和 Frieda 的引導下，開了多次的年度會議，也用參與式的邀請所有夥伴一起重新定義了公司的願景、使命、價值觀。也因為認識到引導的大影響力，把基礎的引導課程焦點討論法（Focused Conversation，又稱 ORID）列為鈦坦人的必修課程。

　　第二個產品和技術能力的挑戰，技術面新加坡是邀請 Odd-e 的敏捷教練 Stanly Lau、Terry Yin、Yeong Sheng 來幫助我們，而台灣則是邀請 Odd-e 的陳仕傑（Joey Chen 江湖上人稱 91）、麥天志（Steven Mak）和陳建村老師（Teddy Chen）。

　　很幸運能找到這許多的高手們來協助我們建立結對編程、自動化測試、持續整合（Continuous Integration，CI）、持續交付（Continuous Delivery，CD）、測試驅動開發 TDD（Test-Driven Development）等等技術實踐，還有我認為，對我們來說最重要的是學習如何重構（Refactor）舊系統的能力，畢竟沒有技術基礎的敏捷，是快不起來的。

　　當時已在公司擔任開發主管職務的資深工程師們如范啟明（Kevin Fan）、陳超（Chen Chao）、馮良柱（Feng Liangzhu）、關明強（Meng Keong），還為了推動技術能力的提升，卸下了主管的職務，全職專注在提升組織的技術能力與培養工程師。

產品面，新加坡與 UX Consulting 創辦人 Raven Chai 與 Foolproof Khai Seng Hong 合作，台灣部分與悠識執行長蔡明哲 Richard Tsai、領潮創意設計的陳啟彰老師（Nor Chen）、深擊設計管理創辦人汪建均（Lex Wang）和 AJA 大予創意 UX Director 陳文剛（David Chen）學習什麼是使用者體驗，與使用者業界高手的合作讓一個以技術為核心團隊瞭解使用者體驗的重要性，學習如何從使用者的角度來開發產品，讓產品界面更友善、更人性化。李境展（Tomas Li）在當時就是公司內推行使用者體驗與研究的領頭羊。

有好的產品，也需要讓對的人知道。

行銷推廣是我們沒有點過的技能樹，所以跟 BVG 銳齊科技的創辦人徐有鍵（Ken Hsu）、李紹嘉（Ada Lee）、邱煜庭（小黑），Leadbest 領投肯科技的創辦人李佳憲（Neil Lee）合作，學習行銷的本質是帶給顧客價值感，從而對產品產生認同。同時還要持續追蹤曝光數、來客數、轉換率、回購率、客單價等等關鍵的指標。

也在因緣際會下參加了台灣資料科學年會，從台灣人工智慧學校執行長陳昇瑋和許懷中教授（Hwai-Jung Wesley Hsu）的合作上，學習到原來從資料中可以看到許多的線索和模式，可以幫助我們更好的挖掘商業價值。也因為此機緣獲得兩位專家的協助，鈦坦建立起了機器學習團隊，陳昱霈（Yupei Chen）和吳保錡（Paochi Wu）就是鈦坦挖掘資料黃金的靈魂人物。更為了深化夥伴對商業思維的敏感度，我們邀請商業思維學院院長游舒帆（Gipi）幫助團隊關注那些重要的商業價值與如何把這些價值最大化。

而第三個企業如何幫助團隊的挑戰，鈦坦在人資的任用、升遷和獎金做了很多調整，比如招募時由團隊直接面試，同樣的團隊也可以決定是否要更換成員，成員也可以自行決定是否要換團隊。工程師的升遷由自己自發提出交由委員會審查，並不需要經過主管同意。獎金的分配一部分由團隊自行決定分配比

例等等。

　　所有的制度設計都是為了賦權團隊，讓團隊可以在以整體的利益為考量的條件下，自行決策。儘管跟一群工程師背景邏輯腦的人談話很辛苦，新加坡鈦坦的組織發展部的黃惠瑜（Jasmine Huang）與台灣鈦坦的方郁綺（Tess Fang）還是一直很有耐心的陪伴並協助推動這些改變。為了展現公司的轉變是玩真的，也為了聽到更多的意見和聲音，鈦坦邀請了 Holistic Agility 的創辦人 Stuart Turner 到鈦坦舉行了開放空間會議（Open Space Technology）。每次的開放空間會議都要請全部的鈦坦人一起參加，也充分地感受到場域的能量和流動性。

　　雖然團隊本身是沒有小組長，但為了使公司的決策可以上下暢通，我們採用了全員參與制（Sociocracy）的雙連結（Double-Linking）和認可決（Consent）。團隊有一位由上而下指派的代表，和一位由團隊推派參與上層決策的代表，代表會定期重新選舉。因有上下雙向的代表存在，所以資訊會比傳統的組織只有上而下的傳遞暢通。

　　在決策時投票容易造成撕裂，共識決太花時間，所以公司內的決策我們大量使用認可決。共識決會問「大家都同意嗎？」全部都同意就進行，而認可決則是問「有沒有反對的意見？」當然認可決需要搭配引導的技巧，讓大家勇於表達自己的意見，否則因為大家不敢發言就容易流於形式。

　　團隊自組織代表的是團隊需要以公司的目標為主，自組織並不是獨立而是要讓團隊與公司的目標保持校準，除了設立數字化的 KPI 目標，使上下從公司、部門到團隊的目標銜接外，還效法稻盛和夫的阿米巴經營，讓每個部門都有營運報表。對此，要讓大部分非財會背景的夥伴瞭解報表，我們邀請了超級數字力的林明樟 MJ 老師，用深入淺出的方式瞭解財務報表，進而可以看懂自己部門的營運狀況。

MJ 老師也是我在財報小白時期的啟蒙恩師，在 2014 年跟 MJ 學習了如何看財報對我經營管理的影響很大。

有人會說，為什麼鈦坦用 KPI 不用 OKR？我認為不論是 KPI 或是 OKR，都是為了校準目標。OKR 的 KR（key result）跟 KPI 的意思一樣，只是多了軟性的目標 O 的部分，KPI 則比較單純。因此我認為 KPI 都不到位就談 OKR，就跟不會走路就想要跑的意思一樣。

最後是部門主管的角色。傳統的部門主管發號司令，但敏捷組織的部門主管是僕人式領導，以服務夥伴，幫助夥伴成長，讓客戶取得更好的產品或服務。所以主管不但需要會議上引導的技巧，也需要在一對一的時候的教練技巧。Jasmine 和 Liangzhu 於 2017 年率先學習了教練技巧，且在新加坡鈦坦內提供教練服務，幫助夥伴看見自己的盲點，進而協助夥伴成長。我們也邀請陳茂雄老師（Kent Chen）到新加坡開薩提爾教練模式工作坊，讓薩提爾跟教練的概念能深化到夥伴心中。

鈦坦的技術教練 Eviler 和 SM Maureen 是台灣鈦坦的教練種子，也取得專業的教練認證（Associate Certified Coach，ACC），2020 年也由達真國際教練學校校長梅家仁（Joyce Mei）舉辦 GROW 課程，對我自己的影響是：能開始欣賞與肯定。我相信如果熟練教練技巧，對激發夥伴的潛能，一定有很大的幫助。

鈦坦的訓練策略是：由三、四位夥伴先去試水溫，看看是否符合公司需求，如果符合，就會開始大量的派訓，且每年定期開課。使用派訓而比較少包班的原因是我們發現，跟公司外的人一起上課，會因為多元性而有更多的火花，讓學習收穫更豐盛。

很多人問我，有必要那麼多人去上這些課程嗎？

讓我先說一個笑話：有一天財務長 CFO 問 CEO：「我們訓練那麼多人，如果他們走了怎麼辦？」CEO反問 CFO：「如果我們不訓練而他們留下來了怎麼辦？」

很多公司會採取送種子去上課，然後由種子回來在公司內部分享的方式。但我並不是很支持這一種方式，因為種子的表達能力通常不如專業講師，而且第二手的資訊容易有落差，難以保證是否是老師的本意。此外，我認為量變可以產生質變，當那麼多人都上過課了，回來公司使用的時候就可以彼此建議切磋，產生一個學習的風氣。學習型組織談了許多年了，我覺得敏捷，就是一個建立學習型組織的方法。

談了那麼多制度面與思維的改變，我想補充辦公室硬體環境的影響。從一開始的傳統辦公室一個個獨立的辦公座位，演變成為現在有大片白板牆面、可移動式桌椅、可以隨時投影、可容納八個人團隊工作空間，加上可以促進不經意互動與豔遇的公共空間。敏捷的工作空間，需要平衡團隊的專注以及跨團隊交流兩者，專注可以幫助團隊產出，而跨團隊的交流可以刺激團隊的創意。

同時滿足兩者，這是團隊與喃景建築整合工作室的葉千綸建築師和林以芸設計總監，依據團隊的需求，經歷過多次改版後找出來的最合適空間規劃。

硬體的空間就如同風水一樣，對團隊的心情與工作模式有很大的影響。

2020 年鈦坦為了更有效的傳承組織的文化，決定雙管齊下、軟硬兼施，硬的是用系統圖把過去 15 年組織發展的脈絡畫出來，軟的是培養夥伴們說故事的能力。

系統圖的部分由 Ivan 主導，在 Justina 和 Maple 協助下，舉辦「組織系統圖工作坊」，協助夥伴們把每個時期的變化轉成系統圖。說故事的能力則是邀

請蔡梅萍（Connie Tsai）舉辦「傳承您的傳奇模式」，教夥伴運用 NLP 的方式，把故事說得生動有趣，深入人心。

只要我們今天比昨天好，明天比今天好，持續進步，就是在敏捷的路上。

分享從 2016 年以來的鈦坦歷程，是希望可以提供一個參考。有多少人，就有多少種得道的法門；同樣的，有多少公司，就有多少種敏捷的方法。

期待在敏捷的路上，與您一同前行。

91 與鈦坦敏捷技術實踐的共同旅程

陳仕傑　Joey Chen（91）

Odd-e　技術教練

　　我從三年半前開始輔導鈦坦團隊，一同改善了不少過去產品的痛點，一起建立了團隊的紀律，齊心讓所有團隊成員的技術水平拉到更高的檔次。如鈦坦的吉祥物 Tica 虎鯨的習性一樣，鈦坦著重在團隊作戰，怎麼讓團隊發揮最大戰力與綜效，這裡用兩個主題切入，分享給各位讀者參考。

　　在一個週四午餐時光，我在大家用餐空間的白板牆寫下了「熱鍵大賽行酒令」幾個字，畫了個 Parking Lot 報名區讓大家寫上自己的名字並提到，讓我們週五下午訂一些點心，五點半到六點半時，弄台電腦投影出來，每個報名的人輪流到白板上寫下一個還沒被講過的 IDE 熱鍵，接著在電腦上的範例程式碼上示範一下這個熱鍵能在何種情況幫助我們作到什麼效果。

　　我們會準備好紅酒、白酒、啤酒以及綠茶，輪到你而你寫不出來時，就自由選擇一杯來喝。週五午餐時我看到白板上已經有 11 個人報名，而且似乎有人還因此偷做了點功課，躲在會議室中偷偷練習。那次活動，我們吃著喝著玩著學著，有說有笑，每個人輪流上去貢獻所長，因為越後面越難，所以一堆人爭先恐後要先上台。一掃那個 sprint 在工作上的壓力，在一個安全的空間、輕鬆的氣氛，沒有績效考評的擔憂，沒有面子掛不住的問題，每個人把自己覺得習以為常的功能分享出來，卻讓團隊其他人透過這個機會學到了一些他們原本不知道的東西。

　　「不知道自己不知道什麼東西」永遠是自我學習上最難突破的點，這通常得借助外力。而每一個開發團隊，每一個軟體公司的領導者，都應該試著營造這種能從團隊其他成員學到東西的機會，包括學習別犯同樣的錯，所以犯錯也

是一個很有價值的學習標的物。我們最終共列出了 31 個熱鍵，連我這位外部教練都從鈦坦實習生身上學到寶貴的功能是我過去不知道的東西，想像一下 11 個人每人只要能從這 31 個工作上該用到的熱鍵，學到 3 個過去不知道的功能，那就是用一個小時獲得 33 個新的知識點，這是多麼值得的一個投資，更別說在大家衝刺了一週 sprint 的疲憊與壓力，這就像收操暖身運動舒緩情緒。

如果要我說出三個必要的工程實踐，我會說：持續整合、單元測試、pair programming。而對提昇團隊學習、1 + 1 > 2 的綜效、互補短板、產品 ownership 及相互備援這幾個面向來說，pair programming 絕對是奠定鈦坦產品與團隊堅強穩定的最佳實踐。最一開始團隊其實只有定期 code review 的規範，然而這樣一個 DoD 往往只會變成虛假的橡皮圖章。主因有三個：

第一，「code review 發現問題的時間點太晚了」，即使我們都覺得可以寫得更好，但時間不夠，修改還要重測，既然沒啥大問題，就先上再說。因此花了時間 review，程式碼也找到一些待改善的點，最後卻沒發生任何改變。

第二，「code reviewer 是瓶頸」，通常 reviewer 負責把關產品程式的品質，所以能力或資歷往往是團隊主力，他們身上往往肩負著更重大的開發責任。當他自身的壓力與時程資源吃緊，他又如何能落實這項把關工作呢？沒太大問題，就 merge 吧，我幫他們 review，誰來幫我開發我負責的任務呢？

第三，「目標脫鉤」，code review 是為了讓每一份程式碼的變更，團隊中都有兩個人以上的認可，並且避免有壞味道的程式碼污染了原本的產品主幹，造成腐敗擴大。避免這次變更欠下了一些技術債，衍生的利息導致未來開發維護成本指數上升，品質與穩定狀態指數下降。但 code reviewer 之於提交程式碼的開發人員卻變成像稽核單位一樣，只負責把關設計品質，並不為產品的時程、團隊成員的能力提升以及功能的交付一同負責。這容易讓士氣潰散，團隊無法一心。而 pair programming 能將 code review 期望達到的目的與額外

的效益最大化。

　　鈦坦透過 pair programming 來讓新進的菜鳥用最短時間直接了解團隊每天的工作方式與內容，盡快成為團隊即戰力。透過 pair programming 來第一時間找到需求、思路、設計、開發、測試與驗收上的盲點與缺陷，因為發現 bug 的時間越晚，修復的成本越高。透過 pair programming 來達到每一份程式碼的變更，團隊都有兩個人了解來龍去脈、設計原因，即使是決定欠下技術債、workaround，也都是討論後決定的共識，這也有助於降低開發人員負擔責任的壓力。當資深人員與菜鳥一起 pair 時，就是最佳的教育訓練實踐，面對真實的需求問題，可以有怎樣不同的設計方式，各自的適用場景、優缺點、副作用為何，在第一線戰場上肩並肩、背靠背的訓練，是最實務有用的方式。

　　資深人員在這過程也會發現自己能力上的短板，為什麼有些設計的緣由、決策的原因、產品 domain 的解說無法到位，發現自己不知道的東西，永遠是最寶貴，也是最難突破的點。對一個外部技術教練來說，何種方式是提昇團隊戰力最快且有效的方式？捲起袖子，跟著團隊一起在第一線作戰，了解他們面臨的壓力、限制、需求、目標為何，從一同達成目標的過程中去影響他們、教育他們，並且同時讓他們能在時程內有品質地完成真實的產品需求，並讓他們用同樣的方式在團隊中協作，認知到「這就是鈦坦標準的開發姿勢」。自然而然，團隊能從彼此身上學到自己較薄弱的能力，團隊可以形成一個扎實穩固的圓，就像三百壯士中的方陣一樣互補、團結、穩固地達成一次又一次的戰略目標。

　　限於篇幅，我希望簡單透過這兩個主題的切入來讓各位讀者從鈦坦的技術實踐經驗中，獲得一些啟發或靈感，並在實務產品開發與團隊協作中嘗試看看，你們團隊將會另闢出一條康莊大道。

陳仕傑 Joey Chen（91）

2021.01 台北

Scrum Master 推動團隊改變的經驗談 —— 鈦坦科技

莊文圳　Eviler Chuang

新加坡鈦坦科技　全境守護者

　　還記得 2014 年年底，鈦坦科技的台北辦公室開始全面導入 Scrum，那時將所有的開發人員分成了 3 個 Scrum team，一個 team 大約 6 人。跑了 2 個月後，公司因為需要做一個大型的產品專案，需要從台灣派人去新加坡一起合作，3 月初，台北這邊就選出了當時的 9 位公司的菁英過去新加坡參加專案，當然我們採取的是意願優先（這九個目前還有一半以上留在公司，並且擔任要職）。台北這邊一下子少了一半的人，只好把原本的的三個團隊再變成一個團隊，原本的三條產品線就由這個團隊負責。

　　當時的我有著大約 10 年左右的軟體開發經驗，但剛接觸敏捷 3 個月，在三個產品線由同一個團隊負責的情況下，衍生了不少問題。由於台北能討論的人不多，於是我向外發展，跑去參加了一些敏捷社群，也讀了一些敏捷開發相關的書籍，在跌跌撞撞地學習下，對敏捷終於有了一點點的瞭解。感謝一路上給我寶貴經驗的人。

　　2015 年年底，去新加坡的 9 位同仁帶著新產品回來了，當時他們團隊需要 Scrum Master，就公開地向內部招募，這引起了我很大的興趣，因為我覺得可以更深入地瞭解新加坡辦公室對敏捷的實行是如何的，讓我可以學習一些不同的東西，於是我跑去應徵。在經過團隊的團體面試後，最後有幸被團隊選上，開啟了我的全職 Scrum Master 之旅。

　　一開始我以觀察為主，盡量的去瞭解他們，帶著好奇去問他們，為什麼要這樣做，一開始我幾乎很少給建議，因為我覺得也許是環境背景的不同，所以他們選擇這樣做。有一次在開 Refinement Meeting 的時候，我發現有一張

Story， 團隊估得特別大，基於我對 Scrum 的理解，Story 不應該那麼大，於是我好奇的問一下團隊，這張 Story 的大小會不會太大，要不要拆小一點，還記得他們給我的理由是這樣比較完整，我也闡述了我的想法給他們，但雙方並沒有交集。大約過了 5 到 10 分鐘的交談後，我發現我沒法說服他們，並且稟持著他們才是做事的人，他們應該是最瞭解這個想法的人，我先放下了我的擔心，讓他們依照他們的意思去做。

下個 Sprint 開始時，那張 Story 被挑選進入了 Sprint Backlog 裡面。當時一個 Sprint 有兩個禮拜，團隊挑了 6 張 Story，那張大約是在第 3 張的位置。當時的我只做了一件事，就是每天 Daily 前去 Sprint Backlog 前拍照。最後我的擔心果然發生了，於是我選擇在 Retrospective 時，把我每天拍的照片給團隊看一下，當下團隊就懂了。也許我們花了一個 Sprint 的時間，最後以失敗來學習，但這樣的學習是刻在心裡的，你幾乎永遠都不會忘記的。之後只要我們有人提出 Story 是否太大的懷疑時，大家就會馬上想到上一次的經驗。

剛當 Scrum Master 不久的時候，我發現 Team 有一個問題：彼此不是很瞭解別人寫的程式碼，雖然在開發的時候有做 Pair Programming，但除了和你 Pair 的人外，Team 的其他人其實是不太瞭解的。當然這個問題在還沒跑 Scrum 前，Team Leader 會負責這件事；而這件事在跑 Scrum 後也很容易解決，就是做 Code Review。

跟 Team 提出這個想法後，Team 也同意做 Code Review，他們覺得這對他們有幫助，因為會常常要改到其他 Pair 寫的 Code，當產品發生問題時，也要瞭解別人寫的 Code 後才有辦法修改。於是 Team 訂了每個星期兩小時的時間來做 Code Review。身為很難找到成就感的 Scrum Master 看到 Team 這樣改變真的是滿心歡喜阿！但實際的執行情況卻不是這樣的，時間到的時候，Team 總是會有各種理由而沒有進行 Code Review，例如東西還沒做完、有些人請假、要不就是忘了。

身為 Scrum Master 的我，當然不會去責備 Team，而是要想辦法幫 Team 排除障礙。每個星期做一次 Code Review 的概念好像是我們先把東西都做完後再找時間來重構一樣，意思就是永遠不會有那個時間。

而重構的最佳時間點就是當下，於是我就在想如何讓 Code Review 可以融入 Sprint 的日常呢？最後我找到了一個適合的時間點，那就是 Daily Meeting 之後。每天的 Daily 我們總是要說三件事：

1. 我昨天做了什麼
2. 我今天要做什麼
3. 我有沒有遇到什麼困難

當別人說給你聽的時候，你總會想像一下他們怎麼做的。如果這時他開 Code 講解一下，是否更有感覺呢？於是我提出了這個想法給團隊，團隊一開始其實是抗拒的，他們覺得會壓縮到每日的開發時間，當時的我要求團隊先試試看兩個星期，到時我們再來討論，如果沒有效果，我們就放棄。

剛開始的前幾天，我在 Daily 結束後就會要求他們做 Code Review，漸漸地你會聽到：

原來你們那邊是這樣寫阿，我剛好也要做到類似的東西可以參考。（避免重複造輪子）
你們做的這個函數我們也做了，但是你們的比較好，我們用你們的。（在輪子還沒長大前就先知道了）
你們這樣寫會有問題，這個東西我們應該這樣做比較好。（經驗的分享）

後來幾天不需要我提醒大家就會主動的開投影機，進行 Code Review（在自己團隊的工作區域就有投影機真的很方便），兩個星期後也沒有人想討論這件事了，因為這已經變成每天必做的事了。

具體執行時間大約是這樣的，每天早上我們進行 15 分鐘的 Daily，Daily 結束後我們進行 30 分鐘的 Code Review，這樣一個星期大約花兩個半小時的時間。

就像 Linda Rising 說的，人們並不抵制改變，他們抵制的只是被改變。身為 Scrum Master 有些時候我們還是需要推他們一把的。當他們嚐到好處後，我們就可以放手了。

從團隊的角度看 Scrum 導入的挑戰 —— 鈦坦科技

呂雅鈞　Angel Lu

新加坡鈦坦科技　鈦坦歷史參與者

　　進公司剛過試用期，公司就決定全面跑敏捷，當時台北辦公室所有的工程師全體停工去上敏捷開發，然後上完課馬上分成 3 個團隊，一開始以為就是照著流程走就是敏捷，跑著跑著也沒有感覺到哪邊不對，Retrospective 時團隊還有成員說：「敏捷只是很多小瀑布而已啊！」直到後來去了新加坡，從 Stanly 身上學到了真正的敏捷開發。

　　敏捷開發，團隊是要一起思考產品的，除了對產品負責，也要對自己、對團隊負責，所以我們需要不斷地 Review、Retrospective，一個是讓產品更好、一個是讓團隊或自己更好，我自己的理解的敏捷是，讓自己變得更好，和團隊一起成長，才可以讓自己的產品更棒。

　　敏捷流程跑到後來並不一定是重點，能從各種會議中得到什麼，讓未來的自己、團隊、產品更好，才是重點，就如同書中介紹到的工具一樣，鈦坦在不斷的 Retrospective 後，發現了自己缺少的東西越來越多，所以不斷地找書、找顧問、老師，教導我們各種工具、方法，排除所有的不足與障礙。

　　敏捷有非常多的會議，這也代表著需要更多的溝通、交流，有效、有效率的溝通就更加重要了，記得 2015 年的時候，我們光 Refinement Meeting 就要花上一個早上，下午繼續吵 Item 的優先順序及怎麼實作，光是 Sprint 一開頭的會議就要花上一整天的時間，最後一天 Review、Retrospective 又花一天，實際做 Item 的時間變得非常地少，所以鈦坦就幫大家找了各種溝通、引導相關的課程，後來我們終於可以把一開始的會議縮減成半天、最後一天的會議也縮減成半天，等於多了一天的時間可以使用。

敏捷開發就是不斷地嘗試、不斷地發現自己的不足、不斷地面對自己的不足、不斷地改進，突然發現，這些好像跟鈦坦最近玩的「正念」又連在一起了，正念就是面對所有的自己，不論是脆弱、軟弱的自己，還是那個好棒棒的自己，只是正念是針對自己本身，而敏捷是針對組織、團隊、產品。

　　「面對自己的弱點，才可以邁向更高的起點。」

while(!(succeed = try())); Never Stop Improving！

范啓明　Kevin C.M. Fan

新加坡鈦坦科技　部落薩滿

沒有一個方法叫敏捷

> I think I can safely say that nobody understands quantum mechanics.
>
> Richard Feynman
>
> 我可以很確定地説，沒有人了解量子力學。
>
> ——理查費曼

同樣地，如果有人説只有某個方法才叫敏捷，那他不是在敏捷！

　　在公司初導入 Scrum 之初，因為真的不懂什麼叫敏捷，我一直是最堅定的反對力量！也因為不懂敏捷，所以心中的疑問也是一堆。所幸，在過去的鈦坦文化薰陶下，「這世界唯一不變的就是不斷地在改變！」其實也頗為習慣了一年一小變、二年一大變、五年變到媽媽都不認得的「擁抱改變的文化」，反正管它黑貓白貓，捉得到老鼠的就是好貓！不試試，誰也不知道答案，雖然內心深處有著許多的懷疑，許多的不相信，依著「守、破、離」的精神，既然公司都找了一堆顧問、課程、訓練、書本的資源了，那就先照著做看看再説吧！

　　身為公司一路來的解決方案負責人（Solution Owner），在不斷地試誤的過程中，對我個人帶來的幾個最大衝擊是：

① 要相信眾智，並下放做決定的權利：

尤其是要把決定權下放給一堆對產品、系統、客戶了解都不夠我深的伙伴們。

② 開放更多的透明度，讓團隊看到更多的現況：

包括薪資透明度、決策透明度、組織扁平化……等。

③ 交付速度及品質遠遠低於過去少數幾個英雄們所能交付的等級：

尤其是在看到一堆過去都是屬於一塊小蛋糕的問題、已經有既定SOP及解方的問題，團隊卻要花很多的時間討論，最後得出的結論，在我看來像是垃圾般的解決方案。既沒效率（Efficiency），也沒有效能（Effectiveness）！這個地方漏想了，那個問題沒考慮到……等等。

當時心裡一堆的疑問，導入敏捷到底是為那樁呀？身為公司頭兒的Yves是頭殼壞去，還是眼睛瞎了嗎？也很慶幸鈦坦的管理層一直維持著一個還不賴的傳統：「討論時可以爭得面紅耳斥，拍桌摔杯！不過，一但最終拍板定案了，就算是決議是要大家一起去跳崖，我們也會很認真地去思考如何跳可以跳得更優雅！」

不可諱言地，當時內心深處依然覺得這個拍板後的決定，最後就是要大家一起去跳崖！但是，透過在實行的過程中，因為本著思考著如何可以跳才可以跳得更優雅這件事，慢慢地發現了敏捷的美。反思回顧，可以總結為以下三個對我最重要的轉捩（淚）點！

第一個轉捩點：基業長青（Sustainability）

隨著英雄們越來越年長，開始結婚生子有了來自於家庭壓力；也因為組織的成長，英雄們也不得不要承擔起更高層級的責任及任務，長期的壓力導致了

解系統的英雄們漸漸凋零，英雄們慢慢地不該也不能再去處理很多細瑣的戰場第一線的工作。因為敏捷帶來的透明度，讓我看到整個組織的真相：「最後做出來的和我想的有那麼大的落差？」

《The Art of Action》（中譯：不服從的領導學），這本書裡面提到了德國名將老毛奇，對軍事思維帶來的最大影響即是，把傳統的靠一個將領打仗的思維，轉變為靠系統打仗；其中也提到了前線及指揮最常見的：

① 校準落差（計劃與行動間的差距）

② 作用落差（行動與結果之間的差距）

③ 知識落差（結果與計劃之間的差距）

這些透過 Scrum 的各個日常活動，都可以先獲得「真相」；而有了「真相」，我們才開始面對到真正的問題；有了「真相」，我們解決的才是真正的問題！

還有一次討論時，來自於 Yves 對我極為關鍵的一個提問是：「如果英雄們不在了，組織之後該怎麼辦？」一經切換視角站在基業長青的觀點來看整個系統後（人、組織、產品、流程），這是我第一次意識到 Scrum 的可能性！

第二個轉捩點：打造一個有生命的系統（A Living System）

身為工程師出身的我，（尤其是力求系統完美、個性超龜毛的我），即使是處在管理層了，也常常思考一個問題：

什麼才是系統開發的好方法？系統開發有沒有一個終極的聖杯呢？

在一個偶發的機會讀到《The Social Architecture：Building On-line Communities》這本書，其中的〈chapter 6: Living Systems〉這個篇章讓我意識到，原來一個好的系統必須是可以活下去的系統，而要如何讓系統持續地活下去呢？我自己總結到以下幾個反思：

① 軟體和系統最大的差別點就是：軟體是死的，而系統會隨著外界變化而演化。

② 系統要有生命，才能活得下去。

③ 有人願意主動去維護，也有能力去維護的就是好方法。

④ 如果系統是一個生命，而敏捷正是讓它擁有靈魂的意識。

系統開發的終極聖杯就是「讓它活下去」；而可以讓它持續演化，不斷地因應外界變化最重要的就是「維護它的人」；如何讓維護系統的人可以持續演化呢？ Scrum 裡三支最重要的支柱：定期檢視（inspect）、適應（adapt）、透明度（transparency）就是答案！

第三個轉捩點：增加選擇的選項及層次

隨著越來越欣賞敏捷，後來發現敏捷意識不僅在軟體系統的開發上適用，組織發展上也適用！再加上因緣際會，公司有個機會讓我轉向商業開發後，我發現它幾乎到處都適用！

因為，敏捷意識帶來的是「永遠不要讓自己只有一個方法，一個選擇！」

在最近幾年直接面對許多商業開發、商業合作、商業競爭的場合，加上商業思維的敏捷意識後，再以更高維度來看整個「系統」，更是讓我有機會體會到「選擇的四個層次」的美：

① 無意識地選擇：僅根據過去的經驗（反射似地）做出選擇，看似有選項，看似在選擇，但其實往往只有預設的一個或少數幾個選項。

② 有意識地選擇：因為有了要讓自己有更多選項的敏捷意識，不僅可以明白各個選項的優缺點，更進而可以在選項不足以滿足意識的情況下，去主動創造出更多的選項！

③ 有意識地不選擇：可以審時度勢地放棄過去曾經成功的選項。

④ 欣賞自己或他人的選擇或不選擇：因為有了更多的溝通，在了解整個系統的運作的實際情境後，可以接納更多的選項。

而更美的是，這些選擇的選項及層次，不僅僅是發生在我自己的身上，也同時發生在團隊的日常工作上！

6 更多來自於鈦坦團隊伙伴們的見證

很多時候敏捷有沒有效，自己説不夠力，總有些老王賣瓜、自賣自誇的味道；感謝團隊支援，附上不同角色的伙伴們針對敏捷意識為我們帶來更多選項的一些見證（包含管理、流程、工作、環境、組織發展等）：

James Huo

Roles: Designer，Team Lead，Assistant Manager，Business Development

1.隨時調整的組織架構。

2.因應新的情報而調整產品對接的順序。

3.因產品的表現，而隨時調整所投入的成本。

4.因應疫情隨時可以決定在家工作（Work From Home）。

5.以現實需要新增或調整現有的角色。

6.在有限資源下重新調整分工。

7.不斷嘗試新的方法並檢視成效。

8.能夠持續嘗試新的生意模式。

9.因不同的時期而有不同的管理模式。

10.隨時分享同步資訊與情報。

Jason Hsiao

Role: Business Development

1. 快速嘗試不同的方法。
2. 快速修正，包含產品、系統、組織、工作流程、商業條件。
3. 因應疫情問題快速調整，開始在家工作（Work From Home）。
4. 尋找資源，快速開啟新的生意模式。
5. 快速調整組織架構。
6. 因應需求快速調整角色人力。
7. 不僵化隨時調整工作的優先順序（Priority）。
8. 隨時檢視產品成績狀況來調整要投入的資源。
9. 跟合作夥伴快速的產出配合的模式。

Nadia Liao

Roles: Editor， Business Analyst， Operation Manager

1. 迭代的運用，小步快跑。
2. 增加自然開口說話的場合：review & retro。
3. 隨時溝通，有話就說。
4. 扁平組織，想跟老闆說話可以直接約或傳訊。
5. 縮短「改變」的陣痛期。
6. 小步試錯，inspect & adapt。
7. 比較勇於挑戰不合理的現況。

Steven Chao

Roles: Developer，Senior Technical Consultant

1. 遇到營運上問題的時候，能快速和客戶討論方案並逐步實施（不斷迭代）。
2. 疫情期間，要開戰情室時，可以從各團隊調人協助（跨職能）。
3. 會議間不論身份，都能直接提出發言（扁平組織）。

Brendon Yip

Roles: Senior HR，Organization Development，Senior Product Owner，Assistant Manager，Product Manager

1. 敏捷讓我們團隊更容易嘗試改變，讓我們願意多嘗試。
2. 敏捷增加了團隊內的想法分享。
3. 敏捷的思維讓公司可以用不同的方式來了解我們的員工。
4. 回顧會議增加了調整團隊工作流程的機會。
5. Scrum 的日常活動幫助團隊對齊產品的目標。
6. 敏捷增加了產品開發計劃的可視性。

Eric Chen

Roles: Developer，Senior Technical Consultant

1. 敏捷的習慣讓我們連吃個飯，也能聊出改善方法，回去之後就開始動作。

2. 敏捷讓我們在上完課後，習慣性地直接聊怎麼樣可以使用在工作當中。

3. 敏捷的扁平化讓團隊成員透過不斷地跟團隊主管、 PO 的溝通了解產品的方向及價值。

4. 敏捷的回顧會議，讓團隊能夠不斷反思調整跟成長。

5. 敏捷的勇敢精神，讓問題能夠更直接地暴露出來。

6. 敏捷的權利下放，讓團隊對能決定一些事情，讓許多問題能在最短的時間內被處理。

7. 敏捷的每日會議，讓風險更快地被看見。

8. 敏捷的透明化，讓我們把可用功能上去後可以直接跟客戶討論回饋並且修改，比較不會走錯路。

9. 敏捷的透明化讓每天的進度能夠被看見，進而做出就快速地調整。

10. 敏捷的響應變化，讓問題產生時可以更快地變換組織架構。

Wuu

Roles: DBA， Developer， Senior Technical Consultant， Architect， Business Analyst， Area Product Owner

1. 敏捷讓追求更好的我們不斷地迭代。

2. 敏捷讓我們小步快走，累積失敗的經驗，越來越靠近成功。

3. 敏捷讓我們在面對改變時也能夠快速地調整，然後擁抱它。

4. 敏捷讓我們在資源有限的情況下，也能以最小的 MVP 去獲得市場的反饋。

Josie Chang

Role: Business Development

1. 敏捷的迭代中，讓我們可以更快看到問題的癥結點。
2. 敏捷的靈活性，讓我們勇敢試錯並不斷改進。
3. 敏捷的整合度，讓我們把抽象的事物漸漸具體化。
4. 敏捷的高效力，讓我們培養出積極主動及自我管理的能力。
5. 敏捷的回報率，讓我們在最短的時間內開發出最有價值的產品。

Ethan Li

Roles: Developer，Senior Technical Consultant，Assistant Manager，Manager

1. 擁抱改變，以前怎麼做不再是唯一選項。
2. 關注商業價值和風險，凡事都有代價，選擇都是取捨。
3. 每個人都可以貢獻觀點，對一件事更有全局觀。
4. 有 timebox 的觀念，迭代的速度變快了。
5. 每個迭代後，都有檢視和回顧，避免永遠用一樣方法期待不一樣結果。
6. 不追求完美，先開始行動，再進行修正調整。
7. 增加團隊做決定的空間，讓團隊練習找答案，不再等答案，ownership 可以提升。
8. 團隊的歸屬感強，有信任時，容易提出不一樣的看法，不擔心被批判。

然而，任何事都沒有一個終極的銀彈，沒有一種解方是萬靈丹，此處也附上幾個跑敏捷後會帶來的挑戰：

1.自由建立在自律之上，組成的每一個人都很重要。

2.每個人都可以參與表達意見，會拉長做決定的時間。

3.因為改變很頻繁，計畫容易變化，慢慢就不做計畫。

4.每個人都可以貢獻自己的想法，沒想法時也需要硬生幾個，有可能會降低整體品質和拉長時間。

5.團隊的信任和默契培養，需要大量的時間。

6.說比做更重要，做事的人不見得會被看見。

結語：

所以「沒有一個方法叫敏捷」；敏捷是個意識，不是個方法。敏捷意識是「讓自己擁有更多的選項」！

What brings us here won't get us there !

系統要透過不斷地改變才能持續地活下去，過去的成功不見得可以帶領我們持續面對新的挑戰，敏捷意識帶來的價值，則是讓我們可以時時看見真相，檢視後並做出適應的改變。讓整個組織透過「溝通」讓大家少走很多的冤枉路。

P.S. 我們新的事業團隊目前用的不見得只有 Scrum 一種方法，而是能因時、因地、因人、因產品而隨時在 Scrum、瀑布、看板、或某個不知名的、未命名的什麼鬼方法之中游走，由團隊去採用最合適的方法！

P.S. 而不僅僅是開發方法上保有彈性，在組織上平均每六個月也都因應各種情況的考量而做不同的調整。不管是黑貓白貓，捉得到老鼠的就是好貓！

異業
經驗

醫療系統的敏捷軟體實踐——童綜合醫院

賴治群　Max Lai
台中捷敏社群共同發起人

2014 年底我想在台中組織敏捷社群，台灣敏捷社群發起人——柯仁傑——跟我說新加坡鈦坦科技也想一起參與，因為這樣的機緣，我和 Yves 在 2014 年 12 月 22 日第一次聚會時認識。這一路到 2021 年，Yves 以該公司總經理的身分，將他累積推動敏捷轉型多年的經驗、期間曾經遭遇的障礙以及如何克服的方法、引導及教練許多的寶貴經驗，集結成這一本《敏捷管理生存指南》。

個人目前任職於台中童綜合醫院資訊部，也試著在公司導入敏捷軟體開發實務。針對醫院內部的醫療及行政人員所需要的企業應用系統，我們挑選了一個新系統及開發團隊作為試行的專案：

● 價值流分析開始，利用視覺化的看板方法，找出對顧客沒有提供價值的步驟以減少流程浪費，用迭代和遞增的方式交付產品。

● 舉辦 Google Design Sprint（設計衝刺），從使用者的觀點（而非程式設計者的觀點）來看需要提供什麼樣的產品。並在規劃產品全貌時，從中選擇關鍵功能來打造最小可行性產品（MVP）。快速推出產品取得用戶回饋，再快速修正。

● 我們除了實行看板流程、Daily Stand up，還會在適當的時間點召開 Product Backlog Refinement、Planning、Review、Retro 等會議，慢慢地引導團隊成為能持續改善的學習型組織。

走過這段摸索的跌撞路途，再讀 Yves 這本書，覺得當初若能有這本書來作為指導手冊就好了！作者對於以上的流程細節娓娓道來，清楚説明為什麼做以及如何做，若能在推動前了解，將可以省下自己許多嘗試錯誤的時間。

在書中作者不僅介紹敏捷開發以及 Scrum 的觀念及方法，另外也把自己如何實踐的完整經驗毫不藏私地公開：

1. 核心的思考——敏捷八不：回顧作者公司的敏捷轉型經驗，反思之後，提出如果重來如何讓導入更為順暢的建言。此外，本章節整理了敏捷轉型成功的「領先指標」，個人覺得真是價值非凡！

2. 企業敏捷化的轉型：提供導入的具體方式、企業敏捷化的工具箱以及「校準」的觀念。

3. 引導方法與會議進行：説明如何協助開會的參與者能説出自己的想法讓溝通更順利，使團隊能更容易地產生有效的結論。

4. 敏捷答客問系列：探討實行敏捷常見的障礙，提出精闢解方。

如果你正在思考如何導入敏捷，或者在導入敏捷的過程中遇到了一些阻礙，誠摯地推薦這一本《敏捷管理生存指南》。相信藉由閱讀本書，將可以站在巨人的肩膀上加速往敏捷道路前進，感受團隊成員積極學習、樂於分享、主動承擔、相互補位的默契，進而能夠快速成長、持續更新，成為兼具有效率又快樂的敏捷團隊！

從看板開始的數位行銷團隊敏捷經驗——信義房屋

Robert Chen
信義房屋

　　幾年前因為所在工作環境的關係，雖然是帶領資訊團隊，但因緣際會之下，有機會開始接觸數位廣告投放的工作，因此累積了一些數位行銷的經驗。兩年多前因為公司組織調整的關係，我被公司指派帶領一個新成立的團隊．主要負責集團數位行銷廣告的投放操作。當時的我雖然不能算是毫無經驗，但之前主要負責的工作項目仍以資訊工作為主，突然間要帶領一個接近十人的行銷團隊，且負責的範疇從一個子公司變為整個集團，而團隊的成員來自原本集團內的各個單位，當下這變成我必須面對的極大難題。

　　踏入職場以來，我從一個單純的工程師，到開始參與專案的運作，進而到帶領資訊團隊，一路從 PMP、ACP 到 CSM 的持續進修。雖然陸續在團隊的運作上有加入一些敏捷的元素，但慚愧的是一直沒有完整的實踐整個 Scrum 的運作。而在面臨這個難題的時候，當下也不知道哪來的勇氣，我就決定在這一個新成立的行銷團隊中以敏捷的方式來運作。於是我就帶著團隊從看板開始入門，慢慢導入一些敏捷的規則和相關的會議，就這樣開始一個 Scrum 的方式來運行團隊，但畢竟行銷團隊還是不同於軟體團隊，且大部分人的經驗和書籍也都是以軟體產業為主，因此遇到很多陌生的狀況時，我們就只能一起摸索。就如同作者在書中強調回顧會議的重要性，團隊就是透過一次一次地回顧會議討論還有什麼可以改善的地方，找出痛點並採取行動進而讓團隊運行得更順利。我舉一個明顯的例子，團隊使用的看板在開始實行的一年多的時間，就陸續調整了四五次之多，才有比較穩定的版本，而每一次的調整也讓團隊的運作更透明也更有效率，這個新的團隊更繳出了還算不錯的成績單。在這段過程中，有個同仁跟我分享一段話，讓我非常印象深刻，她是這麼說的：「每次當工作很忙碌的時候還要開回顧會議，心中難免會覺得把時間拿來做事不是更好

嗎？但常常開完之後卻又有被重新充電的感覺，能夠更有熱情的去面對工作的挑戰。」

　　提供一個透明並讓團隊能自我思考、自我調整的環境，你會看到一個充滿生命力的團隊，這是我這兩年多最大的感觸和收穫。本書上提到了許多我在過程中曾經歷的疑惑，更有很多給我當頭棒喝的論點，真誠的推薦給大家這一本好書。

成功不是到達目的地，是持續不斷前進──樂屋網

陳勉修　Micheal Chen

樂屋國際資訊股份有限公司　產品處副總經理

90 年代末期網際網路普及，形成網路服務的興盛，當時有鑑於全球網路業興盛的經驗，出現「工程師文化」的組織文化形塑，以拉夥合作的概念，促進網路服務在技術與解決方案高耦合的特性，以取得成功。時至 20 多年後的今日，當時的「工程師文化」，在歐美已演進為「敏捷文化」，因為「工程師文化」是個概念，在落地實踐時，依舊會遇到管理或者說協作上的挑戰，以往工業時代發展出來的各種管理方式，已經無法有效解決處理，必須同時關注「人」與「事」，以及其「互動」上，「敏捷文化」因此應運而生。歷史不只是見證文化的建立，更關注文化的持續演進，今日若仍然高喊「工程師文化」，就顯得昧於事實且停滯不前。

回想自從聽過雞與豬的故事（Scrum），開始嘗試在技術部門內進行 Scrum 導入與實踐，再到後來進行公司全產品組織敏捷轉型，一路跌跌撞撞的從失敗中學習，到現在仍堅持在敏捷實踐的路上保持前進。

一開始僅在技術部門內實踐後，就發現即使開發上嘗試進行增量與迭代的方式，開發單位「整體」工作樣貌，並沒有太多改變與改善，產品服務的效用與價值，距離開發單位依舊遙遠。

因此四年前嘗試將產品服務的設計到開發所有相關人與事，以入夥的思維一起進行敏捷轉型，但是進行了一個多月後，在一次產品會議中，隨著產品部門主管在會議中途拂袖而去而終告失敗。

我沉潛一個多月，思考失敗的原因，發現雖然以入夥的思維進行，卻是以技術單位的視角出發進行，這樣是無法讓人感到入夥的「一起」。當我再次嘗試導入全組織敏捷轉型時，便以先逐步建立共同的改變渴望、開啟一起試試的意願、安頓高層的理解與放心，再以鳥瞰的視角，關注整體團隊的互動與協作，形塑「一起」入夥來進行。每個 Sprint 除了進行的 Tasks 外，在 Team 的協作上，只關注一件要改善的事。例如 Daily Scrum 時，發現成員相互之間對彼此工作並不太關心，即使是相互有銜接工作，我們就不斷在 Daily Scrum 練習「接球」進行改善。

每個 Sprint 的 Retrospective，我會透過在 Sprint 期間的關注與覺察，設定這次要凸顯或聚焦的主題，設計合適進行的 Retrospective 方式，讓 Scrum Team 的成員有機會覺察與交流，所以到目前每次進行的 Retrospective 方式，有九成都不同。

Scrum Team 團隊協作的持續改善，使得成員開始關切產品價值，也產生了大家對於產品「完美」程度的不同見解，我們讓 PO 在每次的 Sprint 學習與練習對產品 MVP 的掌握與驗證，再讓整個 Scrum Team 嘗試共同「一起」理解與拿捏 MVP，並進行後續驗證，以使產品價值效用與效率持續並進，這過程花費一年多，並且現在仍持續改善中。

個人的角色，隨著團隊樣貌與協作需求，也不斷地在增加，從最初的 Scrum Master，再成為 Agile Coach，到目前再加上 Product Coach 的角色，為了能夠勝任這些角色，我也必須不斷地學習與實踐，所以開始接觸到引導、教練的一些相關的思維與方法，這都是為了讓團隊成員能夠成為自組織的協作。所以選擇不是做為 Mentor 或 Trainer 的角色，作為引導而不是指導，進行教練而不是訓練。

這一路來，在個人生活與工作實踐上，有三個思維帶給我很深的體悟與幫助：

1.Awareness（覺察）：
不只要做觀察，更要能夠覺察，從自己開始。

2.Alignment（校準）：
進行校準來理解差異的樣貌，不做比較差異的優劣。

3.Humble（謙遜）：
以謙遜的態度和思維，進行傾聽與溝通。

第一次見到 Yves 是在 2017 Agile Tour Taipei ，一路關注他持續地推展與實踐敏捷文化，不斷帶給想要實踐敏捷的夥伴，許多經驗分享與實作建議。這次 Yves 不但介紹 Scrum 框架的實作手法，更同時講述 Agile Mindset 的脈絡，展現敏捷思維與 Scrum 框架結合的清楚樣貌。在導入與進行敏捷轉型時，團隊會因為參與的人與組織，以及實際商業的樣貌，遭遇不同的狀況與挑戰，所以不可能會有統一固定的步驟或方式來進行。我們必須覺察自己與團隊，校準彼此思維的差異樣貌，找出適合所需的實踐方式，而且這個過程是持續不斷地進行。這本書的編排既可讓讀者理解完整敏捷轉型的樣貌，讀者也可隨時依照實際的狀況，透過本書的協助，調整組合出適合的方法與步驟。

敏捷文化的導入與實踐，並不是在建立制度與流程，現今許多企業主的思維仍如同書中所提亨利・福特所說：「為什麼我只是請雙手來工作，他們卻把腦子也帶來了？」雖然現今的工作多是腦力工作，尤其是程式開發，但是其原始的意圖是相同的，都只是把技術人員、工程師當作工具，所以想要建立文化與制度，讓他們更有效率有規矩地執行，但是所謂的制度是為了讓人可以「一起」做好事情，而不是讓人在框架裡面守規矩，所以 Yves 在這本書中，講到

許多 Mindset，就是先要改變這樣的心態與思維，才去建立所謂框架的建立。
很感謝 Yves 願意把這許多年的經驗與領悟分享展現出來。

金融界的敏捷導入經驗——永豐金證券

蘇威嘉　William Su
永豐金證券數位經營督導

　　這本書總結了 Yves 多年實踐的經驗，清楚地點出一個團隊如何正確導入敏捷，除了方法及心法外，更整理了一些敏捷誤區的實際案例，可以說是一本敏捷 101 書籍，值得大家好好的閱讀。

　　多年前我開始接觸敏捷，當時剛剛接管公司資訊單位，面臨大環境變化及團隊老化，還有轉型的各種問題。過去的經驗告訴我：在舊的道路奔跑，不會找到新的方向，因此希望導入敏捷這個新的方法。花了時間看了不少書，也上了一些課程，總感覺似懂非懂，業界也沒有一些可參考的對象，畢竟當時台灣真正導入敏捷的公司非常少。直到遇到 Yves，透過他的分享並實際拜訪當時的鈦坦科技，見識過敏捷導入後團隊的樣態後，我們才大致上有一個導入的起手式。

　　但是整個導入過程還是跌跌撞撞，運用過在許多不同專案及情境，結果有好有壞。但整體歸結起來，我認為傳統 PMP 比較像武俠小說裡較重視形式框架的外功，而敏捷比較像內功，著重的是心態的調整。因此在導入初期雖然用了很多敏捷的方法，像是站立會議、走 Scrum、看板等，但都無法真正有太多成效，結果往往流於形式。後來將專案規模縮小，找到有真正意願執行的團隊，輔以外部教練導入極限編程訓練（感謝 Joey 老師），才開始有些小小成果。但是仍然有很多事情需要去克服，像是處於後勤的資訊單位如何訂定目標、克服專職專用、組織透明等等都是很大的挑戰。書中都有給出一些建議，可以回答許多導入敏捷的痛點。我自身的體認是：個別公司因組織文化、業務內容有所不同，需要依照自己的狀況不斷的調整改善，才有機會成為一個真正的敏捷組織。

產品開發，不能只靠速度與激情——幣託

鄭光泰　Titan Cheng
幣託　CEO

　　我與 Yves 是多年好友，很榮幸能受邀撰寫本書的推薦文。當我在拜讀此書時，看到一句話：「回應變化重於遵循計畫。」此時我默默站起來，幫自己倒了一杯 Macallan 18，回想起 6 年前凌晨 14：00 創造幣託的決定，是我與團隊在人生中一個很大的轉變與契機，但創辦的過程中，也凸顯我們在管理與磨合的天真。

　　其實公司在成長的過程中，經歷三度空間：溫度——制度——速度（註）。

　　1.溫度：大家志同道合開了間小公司，成長初期，吃泡麵討論，吃飽
　　　　　　了加班——為了熱血上線。

　　2.制度：產品複雜，人與部門變多了，制定 Develop-QA-DevOps 流程
　　　　　　——為了讓產品更穩定夠安全。

　　3.速度：人越多產品越做越慢——是的，你沒看錯。

　　傳統的專案管理，大多是 2P，專案經理（Project Manager）與產品經理（Product Manager），再加個老闆 3P，一同討論要開發什麼，上線後，產品改善建議大多由產品經理執行，再由專案經理分配給各 RD 研發，研發中的協同參與方式大多為類似「生產線」的角色，但工程師不在第一線，不知為誰而做、為何而做。每天看老闆跟主管忙著 3P，卻無參與感，做久了，只覺得很無聊，因為這種合作方式 Team「覺得」不夠酷。

其實公司成立初創採取公開透明無畏的溝通文化，當初要做比特幣專案時，RD 雖然都用白眼開發，但他們卻很明白初始化目標 - 0.33 公里（量化）就可以買到比特幣。

公司快速成長的過程中，認為目標管理與協同開發的重要性，經過無數的挑戰及無畏的溝通（互譙），最後團隊選擇 OKR 目標管理與 Scrum 敏捷開發。我們不說太多未來，但會一同協助設定短期目標與關鍵衡量指摽，畢竟公司很年輕，主管的管理職經驗也不夠豐富，但沒太多主觀的管理包袱，只要對 Team 好的，大家都會想試試看，但執行過程也如比特幣行情般的震盪，刺激非凡。

在團隊合作上，大家很清楚，CEO 負責駕馭未來（負全責的意思）並與產品經理一同量化關鍵指摽，專案經理與 Team Leader 負責短打得分，公開每人的貢獻值，是否有閒置人力。合作久了，全壘打的頻率越來越高，分配每兩週開發 50 點，點數集點完畢，要繼續開發？門沒都沒有──大家去打電動，CEO 煮飯去！

註：此為制定組織規章優秀法務同事提出

資料庫管理團隊中的敏捷實踐——瑞嘉軟體科技

鄭俊壕　Vincent Cheng

瑞嘉軟體科技公司　行政副總

　　企業存在的主要目的，在於創造「股東價值」。簡單地説，就是公司要「賺錢」，不賺錢的公司，就沒有存在的必要。為了創造盈餘，各種類型的績效管理策略與手法不斷地推陳出新，無論是使用 MBO、BSC、KPI、OKR 等其中任何一項，最終落實時，還是回歸到最根本的「人力資源運用最佳化」的議題上，而這也是每一位職場工作者都需要認知、瞭解與自我警惕的。

　　於此，分享一點淺見：

　　在資訊相關的工作職涯內，曾經歷了數種產業與大小規模不同的企業。由系統整合公司、快速成長的網路傳真 ISP 公司、超過萬人以上的本土金融銀行，至迄今的遊戲平台開發外商資訊公司。

　　於觀察接觸過的主管、同仁後發現，無論是「打工者」或是「非打工者」的工作者，對於工作環境要求的相似性，竟是如此之高，不因為跨產業而有所不同。(※個人有個簡單的名詞定義：「打工者」做的是 Job，而「非打工者」將工作視為是 Career)

　　這也形成了個人評判組織氣候以及與同仁面談的職場三大問題：

　　1. 團隊精神與融入：

　　　　除了認同企業文化外，與直屬主管、同儕的關係是否和睦？是否與球隊一般，能尊重每一位獨立個體的差異性，並在共同目標的指引下，願意為了團隊有所犧牲？不但能融入同心打拚的團隊，還能相互

支援，在遇到困難時，可以放心由其他團隊同仁來補位、協助？

2.共同學習成長：

無論是硬實力（專業技術、產業知識等）或軟實力（規劃、領導、溝通等），個人與團隊是否擁有相同的方向與目標？除了滿足現階段的需求，還能因應未知挑戰，進行強身健體的提前準備？讓工作團隊皆能逐步成長？

3.付出與回饋：

為了線上緊急問題或是為了不遺漏任何資訊，雙腳夾緊忍耐至問題解決、會議結束後才衝至洗手間；在逼死無數腦細胞，邁出公司大門時，習慣性地欣賞巷空人靜、滿天星斗的孤獨，一路趕回溫暖的家？在深夜或是週末與家人旅遊途中，臨時接獲公司緊急業務處理需求，犧牲睡眠或是與家人相聚的時間，立即打開電腦上線處理？無論是朝九晚五或是 996 工時的辛勤奮鬥，能否於工作上獲得成就感？因應達成的工作績效，企業該給予的薪資報酬與福利，是否有給到位了？

每一位工作者，都期望自己能於工作上有良好表現，可以在一個認同感高、氣氛良好的團隊內工作；透過高績效、高成就感的產出，獲取應得的薪資，並享用公司提供的福利。

2013 年有幸於現職公司出任 DBA 團隊 Supervisor，在 5 至 6 人的團隊嘗試、摸索各種管理理論與方式，試圖引導團隊同仁具備「一榮俱榮、一損俱損」的球隊意識，並誘發大家都擁有想在職場上「得分」的意願。特別是 DBA 團隊所守備的範圍，是公司最重要的命脈——「資料庫系統」，基本上是沒有犯錯的餘地。

每天早晨透過「碰頭會議」，讓團隊快速同步前一天發生的問題與處理方式，以「近光燈」的聚焦概念討論今天或本週內預計完成的事項，再以「遠光燈」的觀點，因應三至六個月的業務需求，進行前置作業的規劃與討論「最有價值的事」。團隊每天都在不知不覺地學習與進步，團隊精神也在每天不間斷的溝通之中逐步培養成形。

透過管理思維的改變與協同合作（Collaboration）工具使用，例如專案管理 WBS 觀念導入；看板、Google 文件同時編輯與跨部門工作進度狀態同步；心智圖的製作，讓議題能透明、結構化地進行聚焦討論；將固定維運作業與常見問題處理製作成 SOP 與 Check list，讓資訊得以透明、同步。減少了重複溝通的成本，也讓寶貴的產業維運知識得以傳承與重複利用。不但可以讓團隊避免錯誤再犯，又得以讓新人藉此進入狀態，快速獲得成就感。

維護資料庫系統保持健康的狀態，是 DBA 團隊每個人的責任。透過導入輪班機制，將原本資深同仁的沉重負擔，分攤到每一位具有責任感的新團隊成員身上。為了因應上下班時段，DBA 同仁不在線上的維護服務空窗期，增加了輪值同仁彈性上班新制度。最重要的是建立了資料庫系統效能監控機制，監控的項目在逐步改善加強後，能讓問題發生時，快速取得相關重要指標資訊，在預防勝於治療的概念下，儘量提前將可能影響業務的問題提早解決。

2018 年開始較有系統化地接觸了敏捷思維，2019 年取得了 CSM 並參加了「開腦 CSM」的 workshop 課程。這才赫然發現，AHA！原來英雄所見略同。當年帶領團隊時，早已在不知不覺中應用了一些敏捷的觀念與手法，而其成效，除了自我覺得滿意外，也受到了當時主管的認可，相信當時的 DBA 團隊同仁也應該有所感受。

一開始提及的職場三大問，正透過這些類似敏捷的思維與作法，得到了對應的解法。「人力資源運用最佳化」的議題，也因此有了新的呈現。

那是一段具有成就感，但於事後回顧檢討時，卻發現無法縮短時間的改善經驗。從中，個人獲得了下列的教訓：

1. 承認不足，透過小步快跑進行改善：

要先有勇氣承認，有太多知識與能力是現行個人與團隊都缺乏的。想要做好「該做的事情」，有時是難以一次到位。但在透過多次調整、聚集團隊力量，最終發現是可以逐步達成的。在沒有經驗之前，任何的改變都會需要時間來測試其可行性。新思維無法透過單點式的受訓就能深入人心、立馬運用。雖然內心十分著急，希望下一秒最達到目標，最後發現還是要讓時間來醞釀、發酵。

2. 資訊透明化：

不當「溝通瓶頸」。透過資訊透明化，可以利用團隊力量來解決許多難題，若是個人能力與經驗不足時，應避免個人英雄主義，讓團隊一起來吧！（於此不得不特別備註一下，利用協同合作工具，真的節省了許多溝通成本，工作效率也隨之提升，這點是個人最有感的。）

撰文當下，公司已公告導入敏捷思維，依據敏捷顧問 Yves 的建議，招募敏捷志願者團隊，準備試行「正規且已有成功案例的敏捷制度」。以個人職涯內的一點小小成就與感悟，期許敏捷新制度的導入能讓職場三大問有個完美的解答，也讓「打工者」朝向真正的敏捷「工作者」邁進。有句話說得好：「有快樂的員工，才會有快樂的股東」，預祝個人與企業雙贏，最終達成最大化「股東價值」的終極目標。

軟體接案公司的敏捷──寓意科技 Fable

施政源　Paul Shih

寓意科技 Fable　執行長

談敏捷,從來就不是只是制度的訂定這麼簡單,公司每位成員的思想能否對齊,才會構成這個文化最後呈現的效果。

如同前面提到的〈敏捷宣言〉:

Individuals and interactions over processes and tools.
　　個人與互動　重於　流程與工具
Working software over comprehensive documentation.
　　可用的軟體　重於　詳盡的文件
Customer collaboration over contract negotiation.
　　與客戶合作　重於　合約協商
Responding to change over following a plan.
　　回應變化　重於　遵循計劃

其實非常模糊,但我提供幾個小故事,讓大家可以了解為何這些小故事最後會拼湊成一間公司能夠變成「敏捷」的過程。

1. 個人與互動 重於 流程與工具

在 Scrum 的定義裡面,有個會議叫做 daily standup meeting,在我們一開始接觸到這套方法論的時候,便遇到第一個問題:fable 的工程師,從 2013 年到現在,全數都是外包,也是遠端作業,那我們怎麼做到請他們來我

們面前 standup？甚至有些外包工程師同時忙兩三個案子，可能原本要 meeting 的時間臨時有會議，不能出席，那我們怎麼做？於是，我們的 PM 想了幾種變形，一種是透過視訊軟體固定在某一個時間開會，大家在電腦前，坐著站著我們不管，但我們規定 10 分鐘要把會議結束，以避免我們過度 review 工作內容。於是乎有的開發人員透過視訊變成網友一陣子，才會在聚餐時碰到面；另外一種更彈性的方式，是在某一個時間點（比如早上十點），由 scrum master 發問，讓大家逐一留言，同樣的三個問題，昨天做什麼、今天打算做什麼、有沒有遇到什麼問題，基本上沒有特別衝突的問題，這一天的 standup 就過去了。

很多人其實會覺得這樣的方法，感覺很不像是管理的一環，甚至有人挑戰說這根本沒做到敏捷的精神，但是我們相信，重點是我們怎麼合作達成任務，重點是透過這樣的方法，還可以持之以恆地迭代產品，對我們來說，這就是敏捷的精神。

2. 個人與互動 重於 流程與工具

就是如此，而我們甚至有一些產品開發案文件，sprint 的數量超過 200 次，這才是真正關鍵的，利用外包、用各種聯繫方式，在四年的時間持續迭代產品，配合客戶的營運，客戶不用自己養團隊，卻能讓自己數位化，這是我們的信仰，也為客戶帶來敏捷的因子。

3. 與客戶合作 重於 合約協商

上述提到的管理，或許聽起來好像我們這樣的外包文化，跟工程師會有點脫節，有點管不住的感覺，再加上很多人認知上 PM 跟工程師往往是對立的，所以我常常遇到客戶或是朋友問我：「Paul，fable 這樣管理工程師，難道不會出事嗎？比如說工程師跑不見人之類的。」說真的，這種問題，在 fable 還

真是少見，應該說我完全沒看過 PM 跟工程師有對立狀況，頂多就是開會時會爭辯或是一起數落一些客戶而已。

其實在我們的工程師管理文件中，有一條蠻嚴格的條例，就是希望工程師能夠盡可能在 30 分鐘內回應 PM 訊息，而 fable 在公司內也會要求如果客戶有任何問題在群組發訊息，盡可能要在 1 小時內有所回應。既然要求這麼強烈，那員工或工程師會不會有所反彈呢？我相信在許多公司，如果這是一個上對下公告的制度，那鐵定是有反彈的，但在我們公司是怎麼溝通的呢？

上述的條例，其實都是從實務的專案開發過程中，我們發覺需要訂定的規範，但在溝通過程中，其實可以先從「同理心」的概念開始溝通。當客戶老闆發布一個問題，主管就會去追，追到 fable PM 身上，可能已經過了一兩層，再到工程師手上，可能到了三四層，每一層代表了時間、以及壓力的增加。所以回饋時間如果慢了，影響到了中間任何一層人員的情緒，很有可能大家都變得不好過。所以哪怕只是回應說，目前收到這個訊息，我們正在追查中，都比無聲無息來得更好。

還記得有一次我們的 PM 因為沒有回應訊息，造成客戶一些情緒上的不理解，正好我們想要提早跟客戶做請款，結果客戶的情緒不穩定我們也只好暫時作罷，類似的故事在 fable 其實不算少數，而當 PM 也願意跟工程師拜託，告訴他們這背後的故事，很意外地，大部分合作的工程師都蠻願意給予 PM 幫助的，最後形成一個大家互助的環境。「與客戶合作重於合約協商」我想不管是工程師對到 PM，還是 PM 對到客戶，這中間的信任，互相協助，落實得十分確實。當然，作為老闆，有個重要的工作，就是如果遇到完全不能協商的客戶，老闆是需要能夠協助公司同事去拒絕的，不然文化就會被打破。

4. 回應變化 重於 遵循計劃

　　既然提到了文化，那就不得不說對於「改變」的文化，在這個時代基本上是每間公司都需要的。網路數位時代的來臨，導致所有公司都必須面對網路環境大幅改變的事實，從十年前的用戶大多在 facebook ，後來 line 的崛起，中間還有許多社群工具、甚至近幾年的 KOL 文化崛起，這個時代的管理者，真的不好做。還記得有次我去做顧問，我的目標工作是協助客戶的團隊更為敏捷，但是我卻發覺一個有趣的現象。那邊的工程師其實已經很快速在迭代產品，每一次的 sprint 也是以兩到三週作為一個循環在產出，雖然是由 PO 很努力的在推動大家，但團隊本身其實並非不敏捷，但老闆的「感覺」就是這個團隊不夠敏捷。 Scrum 的方法論，包含 Jira 的使用，其實都在顧問過程中，逐一導入，但團隊的氛圍，就是活絡不起來，我不知道原因，但我知道原訂計畫對這個團隊是絕對沒有用的。

　　於是我提出了一個大膽的想法，我想辦一場內部工程師、設計師一同參加的 Hackathon。有賴於老闆的力挺，我們在一次的週末，把大家分成四組，每組都有前端、後端、設計師，做了一場 Hackathon，很意外的，我們得到了許多具有創意的成果，也讓老闆發覺了團隊的潛力。這後面的故事不多作贅述，因為產品上了軌道後，可說是團隊不敏捷也不行，但我要說的是，這場 Hackathon 其實改變了所有 stakeholder 對於團隊文化的認知，大家認知到，團隊是具有潛力的，而所有希望會在人心內種下一顆種子。「回應變化 重於遵循計劃」，是所有人在看待敏捷管理的一個重要的精神，但這精神卻是最難傳達的，因為大多數人都害怕改變帶來的問題與不確定性。在敏捷的所有精神中，最後這個是最需要老闆自己願意先帶頭做起的，因為我們接受改變，就必須接受犯錯，而所有員工的錯，卻必須由管理者一肩扛起，這在我們公司中，是一個上到下都有的重要默契。

5. 照看文化重於方法論的導入

很多人提到敏捷，都會覺得敏捷就像萬靈丹，只要藥到就會病除。事實上，很多人導入了 Scrum 的方法，卻把 daily standup meeting 變成 code review meeting，我都是有聽過的。上面的一些故事，雖然都很片面，但如若形成我們公司的整體文化，大概就可以變成以下幾個面向：給予信任、持續執行、修正與扛起責任、快速做出反應，這在 PM 來說，跟大家所熟知的，挖資源、管預算、顧時程、解問題好像很不同，但實質上，當這兩者在這個時代碰撞在一起的時候，我常常遇到的選擇就是，當客戶想要我們加速、降低預算、自己解決問題的時候，我卻要照顧自己的 PM 以及所有工程師，這中間的施力程度如何拿捏？我們曾經把專案做到 daily scrum，就是每天開票到解票到上線，一次搞定，所以一天工作大概有 13 個小時，當然這是短期狀態，只維持了三週，不然團隊會吃不消，我們也有跟許多客戶長期合作到快五年，然後每個月持續迭代產品，這些都有，我只能說，在用力程度的拿捏，我堅持讓團隊成員能夠自己了解原因，我們大家一起賺客戶的錢，但對於客戶的重要程度，我開放給 PM 跟工程師一同討論，如果大家決定不要那麼用力，我會選擇支持，並且協助跟客戶溝通，但如果大家決定要把事情做好，那我也會盡我所能帶入我們能用的資源。

照看文化的結果，就是透過文化的傳遞將大方向定下來，讓每個員工找到自己的年度計畫，然後協助他們去達成，藉以達成公司目標。這就是這個時代老闆的定位，不只是帶頭殺的將軍，更是給予每個人後勤的重要功臣。而這過程，員工會把文化精神傳遞下去，互助才會真的實現，一個企業也才會真正的開始迭代，這才是實踐真正的敏捷。在數位的驚濤駭浪中，肯定不會沉的一艘船，就是這樣來的。

使用者體驗團隊中的敏捷

侯嘉柔　Zoe Hou
金融產業 UXD Team Lead

　　設計師有多少人喜歡客戶三心二意？可能不到 1％。多少設計師遇到過無數個 final 檔名的產出物？大概超過一半。需求改來改去的原因很多，也不可能完全解決，但有沒有可能讓設計師們更快樂的工作？敏捷就是我的答案。

　　UXD 小組業務內容和一般企業不太一樣，我們專注的不是 CX ，Customer Experience，而是 EX，Employee Experience。首要任務是讓不同的設計師做不同系統的體驗設計時，有一致的產出品質（視覺、互動、流程），以降低員工的學習成本，並養成一致的使用習慣。

　　當所有的設計師以 Scrum 框架來協作，Daily 可以提出問題進而互相幫忙，Review 也可以同步到目前所有成果，Retro 可以發現問題做出改善，Planning 更可以明確這兩週預計的工作項目。對管理而言透明不僅讓管理更加容易，也促使夥伴更容易自我成長。對設計師而言，有共識的短期規劃更容易掌握工作時間，同性質的產出展示也更能發掘自己的學習動力。Scrum Master 前期可以透過有經驗的主管或同仁來擔任，當所有同仁都養成敏捷心態後，也能嘗試讓所有成員輪流擔任。整體而言，截至目前為止運作一年半，流動率維持在 10% 以下。相信只要團隊中可納入優良觀念的敏捷種子，那麼在任何屬性的團隊都能開花結果。

如何作為快步奔跑向前的駝獸──iThome

黃柏諺　Brecht Huang
iThome網站開發暨資訊部經理

被人稱為「現代管理之母」的 Mary Follett 曾提出：「人們應該要不斷思考自己是做哪一行」。她在協助一位窗簾廠商進行類似分析時，充滿洞見地指出「不，你做的不是窗簾的生意，你做的是調節光線的生意」，進而促發各種創意與商機。

如果把 iThome 一樣放到 Mary Follett 的拷問之下，我們不會只是一本雜誌、一個（或數個）網站，最終我們可能像是一隻快步奔跑的駝獸，在 IT 訊息、知識與技術的供應和需求間不斷地搬運，熙熙壤壤暢通 IT 人的需求，就算沒辦法超前部署，也會想辦法快步跟上。

因此我們會有許多想法需要假設、實驗、修正與改善，過程中犯錯無可避免，甚至可以說是學習的必然成本，我們沒有辦法不犯錯，但我們要想辦法迅速應變修正。

iThome 的網站開發部門，從兩人編制開始發展，到現在是十幾個人的團隊，經常都是在想辦法跟上的節奏中衝刺，專案的規模大小往往差異很大，有的可能需要耗時半年到一年，有的從需求到手到交付只有兩、三天的製作期。這種情境可以好整以暇地像流水線一樣工作嗎？勢必無法，因此這隻駝獸只能不斷修正奔跑的方法。

我們曾經在 iT 邦幫忙這個 IT 問答與技術分享網站改版時，借助了Scrum的方法學，解決了當時阻礙開發工作的亂象，事實上效果也不錯。但這專案結束後，要繼續拿它來應付我們「快步跟上」的狀態，以團隊的條件與專案的性

質，帶來的負擔會高過於效益。於是我們拆解之前有助於團隊的部份，更輕量地運用，發現運作地十分流暢，也就更安心地跑下去了。

文無定法，人也不能踏進同一條河流兩次，作為 IT 人的知識駝獸，我們團隊就必定要在學習、犯錯、快速修正的循環下，不斷地應變再應變。

在課堂上實際體驗敏捷實踐——逢甲大學

許懷中　Wesley, Hwai-Jung Hsu
逢甲大學人工智慧研究中心主任

　　當初與 Yves 相識，是因為 Yves 的前公司鈦坦科技有資料分析上的需求，因此找上我當時在中研院的老闆——在 2020 英年早逝的陳昇瑋老師合作；然而在過程中，我驚覺鈦坦竟然是一間徹頭徹尾貫徹敏捷方法，踩過了無數從來沒有人踩過的坑，而仍然堅持前進的一間公司。我之所以會如此驚訝，是因為在資料與人工智慧以外，我自己其實是做軟體工程研究出身的博士。說來慚愧，我雖然是作軟體工程出身，但卻從來不相信學校學的那套軟體工程方法，例如物件導向設計與分析（Object-oriented Design and Analysis）、正規方法（Formal Method）等有機會在台灣、甚至是華人社會實現。因此當我看到一間公司，竟然能真正地實踐一套軟體工程方法，堅持到底的同時能夠有所成就，心中著實非常驚訝。

　　當年昇瑋老師曾經問我，在學校要怎麼樣做軟體工程的研究與教學，這個問題讓我苦惱很久。首先，在學校中去倡導學生團隊合作是很困難的，所謂分組專題，常見的結果有：「組長carry，全組升天」、「大家擺爛，最後湊合」等等；而以課程專題的規模運用軟體工程方法，往往也只顯得這些方法的累贅、難以顯露其威力；然而，最困難的關鍵處是，軟體工程的關鍵其實是「人」，而不是方法，所有在軟體工程上有所成就的企業，其內部的軟體工程方法都是獨一無二的，即便是在學校課程專題的分組上，只要分組構成的學生不同，在實踐上就需要調整，無法一概而論。

　　這也正是為什麼敏捷方法與其相關的實踐框架在規範上具備如此彈性的因素——因為重點是思維模式，而不是框架。框架其實某種層面上像是一種儀式，在行禮如儀的同時要能體會儀式背後的意義，而非囿於儀式本身；因此在

學校中，要怎樣做才能將敏捷的思維教給學生，這著實是一個令人煩惱的問題。我的作法是讓學生們從實作中體會，使用各種將現實的殘酷包裝成在短時間內可以取樂的遊戲，讓學生大量閱讀後，在遊戲前、中、後進行討論；然後設定一個大型的專案，讓學生實際地執行 Scrum 或 XP 方法，搭配來自業界的 Scrum Master 與 Coach 指導，讓學生們能夠在迭代與增量的過程中淺嘗以敏捷方法開發大型專案的滋味。但這仍遠遠不是最好的方法，究竟怎麼做才好，我也還在找，終究當 Yves 所推動的敏捷企業成為現實，企業就會需要具備敏捷思維的新血，作為其企業增長與更新的動力，而這正是大學端需要承擔的責任。

推動與落實敏捷的最小阻力之路——商業思維學院

游舒帆　Gipi Yu
商業思維學院院長

　　Yves 發了訊息給我，說他寫了一本談敏捷的書，要請我幫忙寫推薦序，我二話不說就答應了。因為任何實戰派的作者所寫的書籍通常都很棒，何況是這種連身體裡都流著敏捷血液的 Yves。不過，他也拋給我一個難題，他希望我聊聊自己推動敏捷的實務經驗。

　　我想了想，我決定跟大家分享我過往「推動與落實敏捷的最小阻力之路」。

　　過往不論是我自己推動或者在企業內分享敏捷，一開始大家總是跟我談「導入」或「轉型」這個議題，但說實在的，我一直認為「轉型」這個題目太大了，我們為何不能先從「持續改善」與「提高應變能力」開始？我認為漸進式的變革，某種程度更接近敏捷的精神。

　　但怎麼開始呢？我說從把專案 size 切小開始，讓大家先試著把專案週期砍半，如果本來的專案是兩個月，那我會建議切成兩個一個月的案子；如果本來的案子是一個月，那就切成兩個兩週的案子，然後每個案子都可以獨立交付。此時，會有人提出疑問：「專案切小變成小瀑布，這不是敏捷。」他說得對，但我本來就不是要做敏捷（doing agile），而是希望能讓我們漸漸地變得敏捷（being agile）。此外，重點請先放在可獨立交付這件事情上。

　　剛開始，很多人還是不理解這跟原先的瀑布有什麼差別，但當他們開始做計畫後，一切就變得不一樣了。他們發現做計劃變得困難了，本來三個月的案子，他可以花半個月的時間溝通跟規劃，然後最後再花半個月測試，但現在只

有一個月的時間，要交付出可用的產品，這時大家才發現問題確實不容易。

為了做到這件事，或許整個流程得重新思考，得加快需求釐清跟規劃的速度，而這涉及了部門與部門之間的溝通協作機制，過往一週溝通一次的頻率已無法滿足當前需求，甚至影響了分工方式跟責任，為了滿足大幅縮短的交期，我們可能被迫要重新思考工作流程、分工，乃至於組織架構，否則我們是搞不定這個看似簡單的任務的。

縮減專案週期這件事就像一顆掉進池塘的石頭，一開始只濺起一陣小水花，但接下來往外擴散的漣漪卻是不容忽視的。

傳統的管理模式為什麼無效率？那是因為大家總想著「這件事還有三個月」，所以前面溝通過程總是慢條斯理慢慢來，敲個會議需要兩週，搞到最後不緊急的事都變成緊急了。但是當你將專案週期縮短，就會有一個得盡快交付價值的壓力在，你會提早開始工作，而且會思考每件事情的如何做得更有效率，光是這些微差異，就會在團隊內種下一顆敏捷的種子。

此外，我們團隊會搭配每日站立會議，每日站立會議也是一個讓大家進入節奏的關鍵活動，除了每天得有進度外，更重要目的有二：

第一，讓大家去思考自己工作上需要協助之處。為了推進工作，大家會提出工作流程卡關之處，以及需要他人協助的地方，就算他沒有提出，其他人也會發現他卡住了，一樣會提出建議，這是過往只開週會無法看到的地方，日會的好處之一就是資訊更快地透明出來了。商業思維學院是全遠距團隊，所有人都在遠端，但你看不見團隊成員正卡在某個難題上，你也看不到他正被一堆工作逼著加班，你甚至感覺不到他低壓的情緒。一起工作的早期，我們就是透過每日站立會議與偕同工具來透明化每個人的狀況。

第二，會開始思考什麼才是更有價值的，什麼才能創造綜效。因為每天都有進度更新，加上創業過程，每天也都會有新的事情發生，所有事情很容易混在一塊。此時，可以開始引導團隊去思考什麼才是更有價值的，以及，我們應該優先做些什麼，才能創造出更大的綜效。

2021 年是我們團隊成立的第二年，這一年我們大幅翻新了系統、課程與團隊，加上招收的學員比去年多了不少，團隊得一邊服務學員，一邊產製課程，還要一邊開發系統，我們時常討論的問題就是什麼先做，什麼後做？以及什麼一定得做，什麼不做？

舉例來說，剛啟動的第一個月，學員們回饋了很多關於課程內容、教學方法、系統、社群運作的建議，於此同時我們還有其他計畫中的任務得推進，但我們得回應用戶的建議，不能視而不見。

不過我們認為「創造好的學習體驗」是我們不可撼動的核心，所有的決策應該圍繞著這件事情而生。所以團隊每隔一段時間就討論為創造好的學習體驗，當下我們的「關鍵任務」是什麼。有時可能是討論互動，有時可能是給予同學回饋，有時可能是系統功能調整，總之，做出決定的當天所有人便會將自己的工作對齊關鍵任務並往下執行，確保大家都在我們認定最有價值的那條路徑上。

過去這些年，我總運用這種最小阻力之路來推動敏捷，不一次大幅更改大家的工作習慣，而是漸進式地改變大家看待事情的習慣，並引導大家趁早去解決因為工作模式調整而帶來的小漣漪，並且透過頻繁但清晰的溝通來透明化資訊與同步認知，並在當下產生下一步行動，就這麼周而復始，持續精進改善。

這些年下來，敏捷思維對我的幫助很大，不只用在工作，還包含思考人生，很感謝 Yves 願意出版這本書，我相信對每個仍在思考要不要推動敏捷，或者在敏捷路上卡關的朋友一定都會大有幫助，誠心推薦這本書給大家。

區塊鏈新創團隊的敏捷實踐——BiiLabs

蕭裕穎　Scott Hsiao

BiiLabs　資深產品經理

感謝 Yves 跟拉麵讓我跟大家分享我們導入敏捷管理的故事。

打從小學時的才藝班開始就跟電腦結下不解之緣，後來也順利讀了北科大電機系進入 ICT 產業，至今已經入行二十年。不過真的接觸敏捷管理大約是 2014 在鴻海任職時，擔任雲端產品測試課長一職時開始的，從參與各團隊每天早上圍起小圈圈進行的神秘儀式起，便對於敏捷管理深感興趣。因為從本質上變革了軟體開發的方式，符合時代的需求「不敏捷就等死」，也符合個人喜歡獨立自主跟自發參與性格。之後帶起數十人的產品開發部門也導入敏捷理念，開發內外部系統，讓中國傳統教育龍頭跟上線上教育與雲端時代。

2019 幸運地在 COVID-19 爆發前回到台灣休息，在老朋友拉麵的號召下幫 BiiLabs 看看產品跟專案，當時的看法是團隊是怪物級的強大，雖是小公司，行銷有國際級的能見度、技術也是被開源社群極度認可、對接的客戶也都是一流公司企業，唯獨在產品開發跟成果交付上缺了一塊，於是 2020 正式擔任產品經理一職，目標就是把強大的研發潛力化為市場客戶看得到的實力跟收益。正如書中所說，英雄所見略同地按著摸著石頭過河的保守主義溫柔地進行組織再造，陸續推行以下一系列措施：

1. 擘劃產品藍圖，確立組織共同努力目標
2. 編成跨職能交付團隊，打破部門間的藩籬
3. 啟動每週 Demo Day 活動，增進部門間的相互理解
4. 導入精實創業概念，避免過度工程跟過度設計的浪費
5. 籌組自主設計團隊，透過自組織解放年輕人的無限潛能

敏捷管理優化組織是長期性的工作，經過一年多的時間也獲得不錯的成果，讓三大產品線能一一上市，公司內外也都運作地得更加順暢，感謝管理層跟小伙伴的積極配合。

看到本書中分享的「敏捷專案管理運作 15 條」，像是醍醐灌頂，例如我們過程中遇到的幾大問題「如何打造學習型組織」、「如何校準團隊產出」、「如何提升成員參與度」等，筆者透過理論與實務的結合給出深入淺出的指引。另外筆者多年經驗彙整的書單跟核心知識也十分受用，因為坊間談敏捷的書不少，但是能完整的把各種管理方法論如敏捷、Scrum、PMP、合弄制、全員參與制等融會貫通後系統化整理者寥寥可數，本書像是暗夜中的燈塔指引出日後的方向。

說是「生存指南」真的不為過，沒看過敏捷管理的朋友建議就從這本書開始，可以學得敏捷與管理的大局觀。假如像我已經是敏捷社群的一份子更需要看，字字珠璣的步驟跟解釋可以讓你少走很多冤枉路。

從動詞變成一種心態與狀態——AJA 大予創意設計

陳文剛　David Chen
AJA 大予創意設計　使用經驗總監
UXTW 台灣使用者經驗設計協會　常務監事

最早接觸敏捷時，這兩個字是「動詞」。我們的設計團隊大張旗鼓動了起來，調整了組織架構、設計流程、績效制度等。這時候敏捷是一種有動能的變化，為了變得更好，只要有機會我們就去嘗試，並且逐步成長演化。

現在，敏捷對我來說是「一種心態與狀態」。在這狀態下，溝通是透明的，資訊是流動的；團隊裡的每一個人都是共情共理、能內省反思，而且積極互助、有明確方向感的。

很多人才加入 AJA 之後都會很驚訝地說，這裡的設計師好像都是挑過的，大家做起事來都好積極，跟我過去待過的地方很不一樣。我會說，你也是被團隊挑進來的。大家看到的不只是你的能力，更多的是你的心態與狀態。只要心對了，往後的成長就會是一條正斜率的曲線。一路往上，不會停歇。

回頭看這些敏捷帶來的改變，不論當初導入是為了呼應客戶的專案需求，還是想要用更少的資源獲得更多的產出；就是一個起點罷了，一個不會後悔、但也無關緊要的起點。真正重要的是，過去的管理模式已經無法回去，也沒有人想要再走回老路。

期望你也能跟我們一樣，奮力動起來，然後試著進入這樣的心態與狀態。有開始，就會向前；你的心願意改變，剩下的就會一路往上，不會停歇。

AJA
大予創意設計

UXTW
台灣使用者經驗設計協會

迭代反饋持續演化政策——台灣 VR AR 產業協會

謝京蓓　Cori Sheh
台灣 VRAR 產業協會　榮譽理事長暨
實境共創股份有限公司　總經理

「你是保守主義還是理想主義者？」這是我打開 Yves 專書文稿後所遇到的第一個問題，而測試結果出爐：我以為自己是理想主義者，但其實是保守主義者。姑且不論是否存在個人自我認知落差，但在從我長年從事產業推動的經驗中的確呼應這結果：我是台灣 XR 創新科技生態圈的推手，我與我創辦的科技協會跟公司最大存在意義，就是透過不間斷的政策，持續溝通說服與漸進整合產官資源，來推動新的產業生態圈形成。多年的產業推動經驗讓我明白：政府不存在完美的系統和體制，只能與執政者和立法者共同慢慢摸索和發展（擴展論），此外，大破大立的破壞式創新來推動新產業的形成也不適用於台灣發展環境，更有效的方式是在既有基礎上慢慢改善（改革論）。從我實務經歷的產業推動經歷中，照理說政府與產業的改革應該是很貼近敏捷的思維跟合適敏捷管理的導入，但實際上卻不是如此（汗顏）。

儘管如此，近年來由於政府鼓勵創新創業發展，外在環境對企業創新的要求跟期待的同步提升，不少新創跟企業在商模驗證開始講求「小步快跑」的滾動式調整和迭代反饋。而這波民間企業所掀起了敏捷管理跟學習浪潮，也逐步影響到政府新創產業育成者的推動方式，例如我公司所執行大型 XR 科技生態圈計畫「XR EXPRESS Taiwan」，在每年期程的政策推動成果 KPI 設定上我們開始導入滾動式調整與迭代反饋等「經典」敏捷思維，然而卻也遭遇到因著亞洲文化與政治思維與歐美有諸多差異，因此實務上運作起來反而「不夠敏捷」的困境發生。因此當身為台灣人並熟悉亞洲文化的 Yves 按著親身經歷撰寫、出版此書時，我非常興奮，期待能透過這本書，讓我們在亞洲商業跟政府環境中推動敏捷管理時更接地氣，更容易落實。

我們剛走過瘋狂的庚子年，新的一年（2021），不管是新冠肺炎持續衝擊或是 5G 帶來的 AIOT 大時代，對人類文明與工商業發展來說，都是一場「強震級」典範轉移革命。在這當中，我們不僅求生而已，更需要的是敏捷管理所主張的強者思維，因此大力推荐每個職場中革命者來閱讀：不管是革自己的命，或是革產業的命。敏捷，不只快而已，更是適者生存！

2021.02.01

霧卡時代中以「超越預算模型」讓營運更穩健
——鋭齊科技 BVG

徐有鍵　Ken Hsu
鋭齊科技 BVG　總經理

　　在電商產業中，我們都處在一個「霧卡（VUCA）」的情況，所謂的「霧卡」指的是不穩定（Volatility）、不確定（Uncertain）、複雜（Complex）和模糊（Ambiguous），這種高度變化的環境，使電商的經營模式也要突破傳統的公司管理，尤其在預算的分配上更應該具有靈活度，以快速適應市場的變動。

　　傳統的行銷預算，往往是在前一年就被規劃好，並且以一整個年度為單位進行。但這個做法在現在已經不再適用，因為它無法將未來一年的市場變動性考慮進去。這也是為什麼從 2000 年起，就有許多國外大企業開始提倡「超越預算模型」，不再編列固定的預算，而是依據市場的變動隨機調整。

　　以電商而言，這個模式最常體現在廣告投放上，如果我們發現某個時機點的廣告投報率非常突出，那麼就應該在這時加碼廣告預算、放大效益；相反的，如果當下的廣告投報率差，就應該減少投放，而不是硬要依照傳統的固定預算方式、死板的將每一筆預算花光，卻得不到相應的成果。

　　BVG 鼓勵電商公司放棄傳統的預算管理方式，並且採取「超越預算模型」的原則操作：

　　一、沒有固定預算
　　年度預算絕對不會是一個固定的數字，考量到每一年的變動率太高，公司不應該用年度作為計劃的時程，你的每一個決定與決策都應該是在一個大目標

下，每天持續性的調整做法，保持公司整體的彈性與敏捷。

二、以「達到業績指標」作為目的

以自己的業績指標為宗旨，靈活地控制每個項目的投入金錢。最關鍵的觀念是不要受限於計劃，傳統上我們習慣將每個計劃安排預算，假設 A 計劃的預算是 300 萬，我們很可能就會慣性的將這 300 萬花完，但如果發現花到 150 萬時效益開始降低了，就應該要果斷地喊停，將剩下的金額挪到其他更具效益的項目上。

所以，以電商公司要訂的是業績指標而不是預算。可以為某個產品的廣告效益訂下目標，一旦廣告效果好就加碼，加碼到一個經過計算的淨利率後就停止，確保營運的穩健。這個方式是以「達到業績指標」作為目的，而不是「把錢花完」當作目的。

過去一年在疫情期間環境變動速度更大，各種未知問題發生導致生意充滿變數，多數公司在預算規劃上沒有保有靈活與彈性，反而讓企業走入更深的危險之中，在協助多數客戶導入「超越預算模型」後，疫情期間反而大大提昇客戶在收益以及營運的穩定。

以敏捷合約推動敏捷賦能——領投肯科技 LeadBest

李佳憲　Neil Lee

LeadBest 顧問集團　共同創辦人暨執行長

悠悠卡股份有限公司　董事

台北市政府財經小組　顧問

　　LeadBest 科技顧問公司成立於 2018 年，是由一群在台灣實踐敏捷開發的數位人組成，並引入在美國已行之有年的「賦能型風險投資」模式到亞洲。發展至今，足跡遍及台灣、香港、日本、緬甸、菲律賓，為客戶們量身訂製富有敏捷思維的數位策略，協助了如 Mercedes-Benz 台灣分公司、日本東京大學五十嵐實驗室、香港榮華愛心科技、新光鋼鐵等多間企業賦能。

　　2021 年，美國《FORTUNE》雜誌更將 LeadBest 評為是協助台灣產業進入下一個世代的推手！LeadBest 人深信，未來各產業都將發展出由技術所驅動，並與外部數位組織共同合作，以創造新的「商業模式」。

產業的困境與敏捷賦能解方

　　台灣產業受益於當年製造業從美國轉移到亞洲，產業紅利為台灣帶來可觀財富，但「成功」使得我們遲遲無法「升級」。隨著市場變動速度加劇，掌握數位能力的新世代產業興起，競爭者接踵而至。 COVID-19 讓原本在台灣只需要倚靠全球參展，無須接觸數位發展趨勢即可聯繫、開拓客戶的外銷業，突如其來面臨著巨大衝擊——找不到數位人才或數位解決方案。

　　有鑑於此， LeadBest 應用敏捷思維，協助企業透過外部創新解決上述窘況。敏捷思維的精神和框架，非常適合應用在跨域實踐。透過建立共同的目標，將目標作為解決問題的方向以產生價值，同時將複雜的產業問題，拆解成

一個個小的里程碑，完成階段性的推進和驗證，最終達到預定要的結果。這種方式，大幅降低了產業面對新技術和新市場的風險。

為什麼我們稱為賦能

與其說數位轉型，我們更贊同「數位賦能」。要協助產業對接未來走過邁向數位的過渡期，我們應該是用更謙卑的心態，將所擅長的數位能力賦加在客戶原本就有的產業基礎和價值上，這樣才能協助客戶走得更長、更遠，也是為什麼我們用「賦能」而不是「轉型」。任何產業面對未來，我們提出了需要具備四種數位原力 ABCD + Enterprise Core Value：Agile 敏捷思維、BlockChain 區塊鏈應用、Cyber Secuirty 資安思維、Digitalization 數位化應用。

敏捷賦能產業外部創新

協助產業能體會敏捷所帶來的優點，最好的方式「以終為始」，從協助企業擬定「數位發展」策略開始，這個階段重要的是協助企業凝聚出發展的共識，與企業老闆、高階主管及執行人員共同勾勒出一個長期的目標。有了目標和發展計畫，就可以開始對這個目標細分出許多短期、中期的 PBI，並依照這些被使用 User Story（使用者故事）描述出來的 PBI 進行估計，將更有效的被理解及驗證。

順帶一提，我們和合作的客戶所簽署的並非傳統甲、乙方開發合約，而會根據敏捷精神來簽訂的顧問執行合約，根據團隊過往執行過無數軟體開發專案的經驗，用傳統開發合約依規格簽約的方式永遠都會有變更需求到最後雙方吵架的問題，當一個已經被驗證不適用於軟體開發合作的合約框架，就不應該持續沿用，這樣其實對於產生一套真的解決問題的方案並無實際的效益。

敏捷合約精神會依照要執行的目標，以及被規劃出的 PBI 提供所需要的專

業人才，並依照投入人月的方式進行合作，合作期間我們可允許隨時與客戶討論、互動來修正軟體開發的方向，達成如同「敏捷宣言」所提到，我們要提供的是可用的軟體，並看重與客戶的互動。

混合團隊是關鍵

進入到「數位策略」執行階段，我們會與客戶的團隊成為混合團隊，由我們具有敏捷有開發經驗的團隊與客戶領域專家，一起共同協作完成每次 Sprint 的交付。期間內團隊會彼此分享觀點和經驗，這樣也有效讓我們的團隊吸收了解產業知識，同時也讓產業專家理解敏捷思維的精神和運作方式。透過一起執行計畫的期間，讓客戶派來參與的產業專家也能深刻參與到敏捷團隊運作，當計劃達成目標，產業專家歸建回原企業組織內時，就自然成為了敏捷賦能的種子。

從每一本講述敏捷的書籍當中，都會提到組織中要有認同並有經驗的敏捷傳教士，混合團隊共同執行會替許多原本難以培養出敏捷傳教士的企業，培養出具有敏捷思維的人才，透過這些種子開始逐漸將敏捷思維帶進企業開始產生漸進式演化，這種方式不失為一種溫和的組織變革。

運用敏捷開發桌遊教具
——水古杉遊戲化思維研究室

林德政 DJ（Der-Jeng）Lin
趨勢科技股份有限公司　資深專案經理
《UX in the Jungle》及《Lean Canvas Cafe》桌遊教具設計師

　　我在 2007 年時加入了趨勢科技的「軟體工程流程改善小組」（Software Engineering Process Group，SEPG），並於第二年起負責在公司導入敏捷思維及方法。從那之後，我便開始閱讀各種介紹敏捷方法的相關書籍，並實際輔導公司裡許多產品團隊導入敏捷方法，甚至也積極地嘗試在自己個人的工作及生活之中加以實踐。

　　幾年下來的講師、教練工作，加上身體力行的關係，我對敏捷及其帶來的好處有了頗為深刻的認識，也開始後悔自己為什麼沒有在更早之前就認識敏捷！如果有機會回到過去給年輕時的自己一些忠告，我除了會提醒要在台積電股價低於100元時記得大量買進並長期持有以外，「儘早體會敏捷精神並付諸於實踐」絕對是其中最重要的事項之一。

　　與 Yves 第一次碰面是在 2016 年。那年我用敏捷方法在公司內主責設計了一款叫做《UX in the Jungle》的桌遊教具，並在 9 月時去了新加坡的國際研討會發表。Yves 當時在鈦坦擔任執行長，是研討會的主要贊助商。在當時，我就對鈦坦高度開放、鼓勵員工學習並積極參與社群活動的企業文化感到非常的驚訝。因為贊助研討會只要公司有錢就可以了，但是做為一個軟體平台開發公司要跨域去贊助使用者經驗（UX，User eXperience）的研討會可就得很有心了！

後來才知道，原來鈦坦當年能以百來人的公司規模就擔任有三百多人參加的國際 UX 研討會主贊助商，靠的不只是公司能穩定獲利的硬實力，也是從上到下徹底轉型、走向敏捷開發方法所打造出來的軟實力。

隨著科技的進步，世界正邁向高變異、高不確定性、既複雜又模糊的「霧卡」時代（VUCA，Volatility、Uncertainty、Complexity and Ambiguity）。敏捷是一套以人為本的價值觀與科學管理方法──透過找出最有價值的需求，並搭配「時間限制」（Time-boxed）的概念、小批量完成工作項目，再以迭代方式運用「實際可用產品」（Working Products）收集利害關係人的回饋，確保產品的價值獲得市場及客戶的驗證，並讓團隊持續學習、成長。這樣的管理方法正是公司、組織增強其彈性、韌性，並因應霧卡時代挑戰的有效方法！

俄國小說家托爾斯泰（Leo Tolstoy）在他的著作《安娜·卡列尼娜》（Anna Karenina）中有句名言：「幸福的家庭都是相似的，不幸的家庭各有各的不幸。」多數的敏捷轉型專案也是這樣的──成功的轉型都是相似的，失敗的轉型則各有各的問題。許多失敗的敏捷轉型多肇因於主事者與開發團隊對敏捷方法的錯誤認知。

有經驗的敏捷實踐者會知道：敏捷不會讓產品開發速度變快，但可以提高組織適應變化的彈性；敏捷不會讓開發成本降低，但可以有效減少因溝通認知不良而產生的浪費；敏捷不保證產品賣座成功，但可以增加團隊找到成功的機會。如果能對敏捷管理及其精神有正確的認識，便可以大幅提高轉型成功的可能。

我在過去十多年間輔導公司產品團隊導入敏捷方法遇到了許多的挑戰，靠著做中學與努力實踐，跌跌撞撞地才對敏捷有了深刻的認識。現在，有了 Yves 的《敏捷管理生存指南》，你可以更快速地瞭解敏捷、掌握敏捷，讓你們團隊的敏捷轉型可以像幸福鈦坦一樣有令人欣羨的成果！

用敏捷創造更美好的空間
——艾立思軟裝　ELIZ Group

吳旻憲　Sam Wu

ELIZ Group 艾立思軟裝集團　執行長

林政遠　Tony Lin

ELIZ Group 艾立思軟裝集團　總經理

在這個變動的時代，就如同敏捷管理所重視的：人才是競爭力的核心，團隊是則優勢的根本。

從創立 ELIZ 艾立思到現在，我們秉持的就是「以人為本、團隊至上」的經營理念。在人才的部分，我們以優於業界的薪資待遇和活力透明的組織文化，來吸引並留住人才；在默契的部分，則是加強溝通和對彼此的理解，與對家具設計的熱情來激發團隊的效能。

因爲家具不是只是家具，而是家庭或辦公空間的重要元素，可以讓整個場域的能量活化，幫助使用者，也就是家人和同事們，經由家具擺飾帶給這個空間的質地和感覺，來增加彼此的互動和親密感。

也因爲我們認爲整個空間是一體的，所以在產業界通稱的「業務」這個職務在艾立思並不存在，我們的夥伴都是「家配師」（幫客戶建議規劃所適合的家具、包含所有用料、色彩和質地），注重的是溝通能力和讓客戶擁有美好空間的熱情。我們也相信熱情比能力重要，就如同管理學人資領域常常提到的：招募的時候考慮態度，技能可以之後再訓練（Hire for Attitude，Train for Skill），所以我們招募時，年資經驗都不是重點。另外也提供內部創業機制，希望可以幫助夥伴們都可以發光發熱，有自己的一片天。

公司的經營管理也都是走透明化路線，讓夥伴們理解管理者的風格，在面試時就清楚溝通，避免誤解耽誤了彼此的時間，因為溝通相對透明，也讓我們節省了很多無效且無畏的「說一套，做一套」。傾聽夥伴們的想法，增強參與的程度，建立良好歡樂的工作氣氛，都讓我們瞭解並感受到「做實事」所帶來的效益。

為了讓溝通更順暢，我們也時常跟 Yves 一起研究讓團隊溝通更有效的方法。艾立思身處傳統產業，雖然距離科技業有些距離，但是對於敏捷的看法是共通的。相信人、相信團隊、有效溝通就是可以在這個多變時代不但生存下去，還可以發光發熱的利器。

期待一同與大家藉由敏捷，協力打造更美好的空間。

有效率的溝通是需要方法的——瑞嘉耐思科技

伍智楠　Allen Wu

瑞嘉耐思科技　研發主管

　　我想跟大家分享敏捷轉型旅程中的一段小故事，故事開始要先拉回 2020 年 4 月，當時公司經營團隊為了讓產品能更靈活的回應市場變化，進而帶給客戶更多的價值，所以決定進行敏捷轉型。在那段還在適應改變的時期，我記得有一天中午 Yves 遞給我一本書，內容講的是正念如何幫助個人達到更好的休息，當下沒想太多就開心地收下了。

　　接下來一週內我當作看小說一樣把書翻完，然後也沒認真去練習，直到有一天我腦袋裡思緒亂到不行，突然想到何不來試試正念？出乎意外的，我在幾次覺察呼吸之後發覺到正念真的有幫助，開始體驗到什麼是感受當下與自我覺察。

　　為什麼會想分享這個小故事？原因在於敏捷轉型前，原本團隊伙伴間的溝通大多在專案實作與產品交付，其它部份較少著墨。在轉換為敏捷開發的過程中會發現，原來有效率的溝通是需要方法的。除了客觀事實的陳述外，在交流時的應對也需要考慮到人與人之間的情感連結。在了解自己內在感受後才做出應對，讓接收訊息的人有更清楚的認知。

　　公司經營團隊深知這個轉變不容易，於是替伙伴們安排了很多教育訓練，像是 Scrum 、溝通課、薩提爾的冰山理論、焦點討論法、NLP、CI、UnitTest 等，更重要的是邀請 Yves 作為顧問來協助敏捷轉型過程，有了實務經驗的分享讓團隊減輕了許多摸索與負擔。經過學習後，我開始嘗試導入一些方法來協助團隊轉型，像是轉型敏捷團隊的每週回顧會議、練習自我覺察的個人敏捷手記、協助個人目標規劃的教練方法以及讓開會更有效率的引導。

這個過程中我深深的體會到僕人式領導的重要性，除了團隊走敏捷開發外，管理階層也必須轉型為敏捷管理，以期激發團隊士氣，凝聚積極向上的正向力量。很開心地找到敏捷的旅途上同行的伙伴，大家從自身所及的行動來擴展影響力，小步快走持續改善，相信個人和團隊都能從這些經驗上獲得成長。

異業經驗

會計師眼中的敏捷與實踐
——東興聯合會計師事務所

方郁綺　Tess Fang

東興聯合會計師事務所　會計師

最開始認識敏捷跟剛學到新的單字一樣，恨不得立刻馬上現在就開始用，熱血燃燒開始檢視自己團隊的工作模式和計畫怎麼 Scrum，彷彿就是好不容易得到了一把管理的大師之劍。

而當開始和團隊嘗試實施與討論的前幾周，猛然發現 Scrum 在後勤類型的單位，並沒辦法好好地展現它的效果，但由於一些核心觀念真的深得我心，不試不死心地轉為著重流程視覺化的看板，也開始了我們每日早上的站立會議，目前為止這樣搭配還算適用在非軟體開發的團隊。

看板視覺化能一眼看出整體工作執行的狀況，在報稅忙季時效果更加明顯，哪個客戶還沒提供資料，哪個客戶遇到了問題一目了然。而這些卡片（Task）莫名的吸睛，也莫名的討人厭，我聽到同仁說：「可以把它拿掉嗎？他看起來好煩，等一下就解決掉！」身為管理者一員，看到這一光景不禁露出一抹微（奸）笑。

好的管理方式並不只有一種，只要願意嘗試，願意真的落實，願意落實後發現根本不可行，願意發現不可行之後換個方式再試，我們永遠都在使用更好的方式。

活用便利貼來整理工作事項
——喃景建築整合工作室

葉千綸　Chien-Lun Yeh
喃景建築整合　建築師
林以芸　I-Yun Lin
喃景建築整合　設計總監

　　Yves 是我們的好友也是合作的業主，多年前他將敏捷觀念導入企業時，開啟第一次的合作，和我們一起發展出敏捷的辦公空間。我們想談的，並不是設計敏捷空間的心得，而是想談談敏捷如何影響了設計者的工作，設計產業如何學習新創產業的思維與工作模式。

　　我們通常會把空間設計的工作型態，類比為家庭手工業，而且是師徒制的，人力規模小，工作時間長。我們在一天的工作中，大部分的時間都在整合各種專業技術，其餘的時間則用在設計本身。設計過程之中，我們常常花費很多時間不停的試錯，在各種方案中尋找解答。不過很不幸的，投入長時間的成果，未必能成為業主心中的答案。於是我們的工作就是一直重覆著再次整合、試錯、提案，像是一個迴圈，而多案同時執行時，猶如好幾個迴圈一起運轉，每一個都在揮舞著小手說：嗨！你要先處理我喔，但我可能不是最重要的。這樣毫無頭緒的情況，就是我們的工作日常。

　　「何不像個孩子般的，用雙手與直覺，將散落一地的玩具做好分類呢？」這是我第一次看到 Yves 與 Tomas 在做敏捷分類（grouping）時的感慨，他們用簡單的工具，直觀的方式，將雜亂的工作整理出頭緒，像是在玩遊戲一樣。具體操作方法為，先將工作事項寫在便利貼上，再依照執行狀態貼在四個分別為 To Do／Doing／Review／Done 的象限之中，簡單的執行流程，卻蘊含了的深刻的工作哲理。

受到啟發的隔天，我們立即將分類（grouping）運用於事務所的工作流程，除了在事務所的牆上畫上四大象限來管理專案，並以手機 APP 打造出類似的作業環境，任何事情都能隨時隨地的記錄，並張貼在 To Do 的象限內，待辦的工作肯定是包羅萬象的，想到就記錄起來。接著預估所需的工作時間並安排順序，再把確定可執行的工作項目移動到 Doing 的象限內，此區必需維持少量的工作項目，意即能專心處理手上的工作。接著是 Review 與 Done 的區別，有時工作是階段性的完成，可能過了一陣子需要再啟動，就可以貼在 Review 的象限，如果是一些已經細分的事項或是確定已經完結的工作，則可直接移到 Done 的象限。而便利貼是可以在四象限中自由移動的，意即操作者可以「自在」的管理，沒有回不了頭的決定。

　　由於我們事務所草創時只有兩人，大小事情都必須經手處理，早上才跟客戶討論，下午就會出現在工地與師傅協調，傍晚回公司畫圖。所以彈性與分段是我們的操作原則，我們會在路途中用手機同步記錄待辦事項（To Do），回公司後再安排工作順序，然後一件一件的消化（Doing），待一天結束前進行反思（Review），最後滿意的看著已經順利解決的工作（Done），就這樣結束忙碌的一天。在以前還未以分類（grouping）管理時，睡眠得淺，腦中浮現的都是待辦工作與流程，除了導致失眠，醒來亦無法記得夢中的沙盤推演；後來只要一想到待辦事項，就馬上醒來抓起手機記錄，由於內心已經篤定，知道明早再安排順序與分組即可，所以得以心安入睡。這不只是工作流程的改變，如果從心理層面來看，同時產生極大的信心與安定感，另外我們覺得很有趣的是，有時站在象限牆之前，會不自覺地靜靜地欣賞它，看著滿滿的便利貼，好像分別看到了「未來的挑戰，此刻的專心，與過去的成果」。

　　分類（grouping）的學問若要細緻的探討，肯定比以上簡單的文字敘述來得宏大，但這些是我們誤讀後並實踐的經驗，是屬於個人而且深刻的，若要轉譯成設計產業的語言，也許可以比喻成素描時的思維方式，我們喜歡以連續的筆觸勾勒出「輪廓面」，盡量不以單獨的「斷線」來作畫，以面的思維作

畫，思緒與筆觸是綿延不斷的，亦不需過分在意比例的完美，這樣才能享受繪畫本身的樂趣。有如敏捷所揭示的去框架與靈活性，如此，才能深刻地體驗工作中的樂趣與成就感。

敏捷在旅館管理的應用
—— HIVE HOTEL 嗨夫精品旅館

吳宜璇　Eva Wu
宜蘭 HIVE HOTEL 嗨夫精品旅館經理

> Yves 總是笑臉迎人不會有距離感，
> 他年紀很輕不會有主管架子，
> 他信任員工，更會投資員工。

敏捷溝通

在傳統方式經營的企業裡通常是老闆說了算，執行主管交辦的，員工不需有什麼想法；所謂「三個臭皮匠勝過一個諸葛亮」，在執行敏捷溝通訓練的企業，員工可以藉由小團隊大家腦力激盪共同討論分享，提出對公司經營的建議或想法，員工會有參與感，激發熱情，思考有甚麼更好的方法，如果被採納進而執行會更有成就感並加深向心力。

企業經營靠團隊

在飯店籌備試營運的階段事情多如貓毛，而我忙到忘了休假，讓 Yves 強制我放假不准上班，當下我的心情是沮喪的，有背棄團隊的感覺；但是Yves告訴我：主管不在公司還是會照常運轉，公司營運要依靠團隊而不是只靠一個主管。事實證明，經過敏捷溝通的訓練，員工會把公司放在心上，對工作用心，即使主管休假每一位同仁都能自我管理、獨當一面。

推薦給各位這本工具書，值得的。

從實踐敏捷到推廣敏捷，像極了愛情
——建威管理顧問

陳建璋　David Chen
建威管理顧問　創辦人暨執行長
建威管理顧問股份有限公司

「學如逆水行舟，不進則退。」保持開放的心態，在學習的過程中我遇見了敏捷。對我來說，敏捷是種生活態度。多數人或許是透過職場上接觸的敏捷框架與工具認識到敏捷，然而這並不是我與敏捷結緣的方式。

商學院出生的我對框架及工具的演進實在無法有太多的共鳴，但在深入了解到敏捷價值觀與原則背後的涵義後，打從心底感到震驚！我看見了「以人為本」的管理思維，與過去接觸的科學管理思維相差甚遠。重於價值導向的部分更是深刻影響我日常看待事物的角度。隨之對敏捷激起濃厚的興趣與好奇，我好想了解關於敏捷的一切，像極了愛情。

旅美期間因緣際會下我認識了 Scrum（一種常見的敏捷框架）。彷彿冥冥之中自有安排，一本無意在誠品排行榜購買的書將我帶領到書的作者——Scrum 共同發明人 Dr. Jeff Sutherland 的面前，就這樣成為他的學生也取得了人生中第一張 Scrum Master 證書。令我著迷的不是 Scrum 的框架設計，而是其背後的思維：三大支柱（透明性、檢視性、調適性）和五大價值（承諾、專注、開放、尊重、勇氣），這些都是建立高信任環境的條件。從那天起，無論是生活上亦或是職場上我都嘗試去實踐這些價值。在輔導團隊的過程我也喜歡用 Scrum 的三大支柱與五大價值作為指標去協助團隊成員找出問題與挑戰。

2018 年離開美國前，我在一間員工全體遠距工作的管理顧問公司 Apex IT 服務，我所在的團隊主要是協助企業導入 SaaS 雲端服務，在那段時間我在團隊內幾乎每天都能見到三大支柱和五大價值的存在，跨職能的自組織團隊在工作上沒有主管指派任務和介入任務安排，就算犯了錯我也從沒被責罵過，多數情況換來的是主管主動指引我該如何從失敗中學習並成為更好的顧問。這樣的工作環境是極度高信任的，不得不說彼此互相信任的協作感覺真的很好！每年固定時間總裁 Scott 會與員工進行一對一通話，除了詢問員工是否喜歡目前手上的工作，也試著了解員工對公司對客戶提供的其他服務是否有興趣。如對證照有興趣公司也提供了免費教育資源讓員工受訓與考證。 Scott 曾經親口對我說：「身為 Oracle 和 Salesforce 的合作夥伴，我們手上多的是考試卷，就怕你們不考而已。」接近扁平的組織結構也讓我驚嘆原來這些聽起來 Too Good To Be True 的管理是真實存在且可行的。

敏捷的好往往只有體會過的人才明白，因此我致力於透過自身影響力試著讓更多人和組織有機會了解思維層面的敏捷，期望自己能扮演好播種者的角色，讓敏捷的種子有機會在世界不同的角落破土而出。為了培養更多種子，我自己親自取得數個敏捷認證系統的師資，抱著打造 Change Agents 的理念，慢慢培育台灣在地敏捷人才。

我在美國敏捷界極具影響力的波士頓大學敏捷創新實驗室（Boston University Agile Innovation Lab）擔任執行理事，身兼領域專家（Subject Matter Expert）及全球策略夥伴主管（Head of Global Partnership），以波士頓大學為樞紐將全球不同國家與地區的敏捷相關資源進行整合，在推廣敏捷的同時也協助實驗室透過 Agile for Social Good 去協助有需求的國家與地區將敏捷落地到當地的教育體系與政府公部門。台灣敏捷協會（ACT）在台灣敏捷界深耕多年，波士頓大學敏捷創新實驗室認可 ACT 在台推廣敏捷價值、思維、與實務理念的貢獻，於 2020 年與 ACT 建立合作夥伴關係。這絕對會為台灣未來敏捷的發展帶來強而有力的後盾。

在台灣推廣敏捷絕不是件容易的事。分享我在不同社交場合交換名片的情景，幾乎每交換一次名片就要回答一次：「什麼是敏捷？」這一路上需要許多志同道合的好夥伴，彼此都深刻體會過敏捷的好，並真心相信這份好能有幫助地去影響接觸過敏捷的人、團隊、組織。我在推廣敏捷的路上總期待著伯樂的出現，直到遇見了 Yves 我才發覺原來自己並不孤單！第一次和 Yves 見面的當下我就對他對於在台灣推廣敏捷的熱忱留下深刻的印象。每次和 Yves 交流都能有新的體悟，有時就連回頭看我們過去的對話都能被點醒。他曾對我說過：「落地敏捷是很關鍵的一環，這也是敏捷一開始的初心。」我相信也是這樣的心情造就這本書的問世，我能掛保證正在閱讀這本書的你絕對能得到其他敏捷書上體會不到的價值，一起透過文字來感受 Yves 的敏捷之道吧！

敏捷進入餐飲業血淚史

李紹嘉　Ada Lee
佳瑪資本總經理
通路管理顧問

2016 年在新加坡鈦坦公司是第一次參與敏捷課程，除了覺得新奇之外有更強烈的感受——體驗鈦坦公司如何實踐敏捷，對比我在廣告公司所接受的教育的震撼。書中前言就直接破題了當初我巨大的顧慮，真的可以這樣做嗎？我現在團隊準備好了嗎？未來可以怎麼運用在餐飲業呢？我在連鎖餐飲通路的嘗試，有經由透明、扁平化成功的激勵；也有夥伴自我管理失敗的過程。以我的觀察：傳統餐飲思維：「內外場都需要被指揮和被管理，否則他們不知道該做什麼，只會想到自己分內的事，造成各自為政。」

敏捷餐飲思維：「如果授與明確的責任和權力加上透明化營運數據，內外場就會高度投入，互相照顧，且會想出巧妙的解決辦法，取得優異的成果。」敏捷型餐飲的企業文化以人為中心，讓每個人都能參與、獲得授權，員工因此可以快速、合作、有效地創造價值，朝著沒有一個人是「店員」、每個人都是「店長」下去發展。

我讓手搖飲料店的一線夥伴了解每杯飲品的成本結構，讓他們了解行銷策略如何組成的，進而更有力地執行每次的行銷活動，連在平常負責點餐跟奉茶的站台，都能因應天氣變化跟短少業績時如何引導客戶點餐。比起過往，必須透過各種表單紀錄繳回總公司，再擬定各店不同的推薦飲品與話術，反而更能直接讓消費者感受貼心合宜的服務。這個改變讓第一線夥伴，感受到自己能判斷決策的價值，也因為這扁平的執行過程，能快速回應消費者需求進而業績提升，獲得的獎金也變多了。顧客、品牌、夥伴三方都有正向的價值。

而以餐飲業知名的覺旅為例子，通常消費者在其他餐廳在餐廳員工手上或消費拿到的是折價券、禮券……，但覺旅讓員工發送「邀請卡」，他們讓員工有著像經營者一般的思慮去分析在顧客旅程上還需要多增加些怎樣的體驗點、可以完全自主地滿足顧客就像個真的老闆一般主導著這一切。

　　然而，也有失敗的結果。同樣的透明化、扁平化賦予決策權的運作，對於部分夥伴反而顯得困擾的是不知道下一步該怎麼做，導致沒有安全感或不想面對結果的好壞，進而抗拒行使決策的權力，反倒怪起組織因為這些好似是管理職位卻沒有職務加給而逃跑……（離開崗位）。他們沒有理解敏捷環境下所謂的「管理者」是要運用知識改善流程的人，而不是掌握人事權的人。

　　簡單的測試就能了解人力是否成熟，足以自我管理接受透明化與快速決策、檢討的挑戰。我的百萬業績店長就在這種新型態的管理模式下落馬了。他們已經習慣在單一事件檢討後獲得單一命令並完成單一任務下的目標，所以在傳統體制裏他必須拚命加班，做報表、各店各單位佈達命令進而達到業績目標。反之，當讓店長與一線夥伴都更有決定權時，反而都慌了手腳不知道怎麼往下走，失去了原有的判斷能力。此時此刻也考驗著組織領導者怎麼提升團隊之間的信任感與默契，與每位「管理者」該有的能力，才能真正嚐到敏捷的果實，反之，團隊可能也會瓦解。

　　餐飲業導入敏捷，餐廳老闆的角色不再是下達指令的主管，而是教練或是導師，賦予每個員工必要的權力，每個員工因透明化都清楚的了解到餐廳是否賺錢、激勵他們以團隊方式工作。

　　人才培育上，則是藉由累積不同經驗，讓員工建立新的能力。所以餐廳會鼓勵「角色流動」，例如內外場輪調、每個員工都能算出每一道菜的成本：員工可根據個人發展目標，定期在角色和團隊之間移動。最重要的是更不用擔心餐飲業的高流動率造成人力短缺。

我仍不放棄的從招募人才、訓練時就開始倡導敏捷的觀念，可以幫助我快速拓展加盟通路，避免一直洗人的危機。而你呢？你也準備好敏捷了嗎？

敏捷一路走來

林秉忠　Ban Lin
雄獅資訊　總經理

　　有點後悔答應 Yves 太快了，但～為了這 1000 字的心得，也讓我回想，到底是從什麼時候開始了「敏捷這趟旅程」？接觸到「敏捷」要回到 2013 年，在資策會聽上完了三叔公 David 的敏捷專案管理、Kanban 看板管理，在自己的腦袋裡種下了「敏捷」的種子。

　　2014 年年中，為了主管會議的報告，檢視 IT 需求，我才驚訝到半年還沒結束，IT 的需求單，如雪片般的飛來，已經有 600 多張，平均一天 3 張需求單，心理的 OS 是：業務單位真的是不論業績的好與壞，把事情推給 IT，就是最好的結果，業務單位想的是開了需求單，他們的任務就結束了，所以當然要拼命的提。聯想到前一陣子，為了兩個重大專案，一個花了 2400 多個工時，一個花了 2800 多個工時，而實際的結果，一個專案月營收產出破 600 多萬，一個月營收 9 萬，這讓我驚覺到，IT 與營運單位，如果是站在楚河漢界下，那結果就是營運部門，需求單拼命開，沒想過到底那個需求才是對客戶是重要，對消費者是有幫助的，更重要的實際的產出結果，要到最後上線才能驗證，因為一切的過程都是想像，這等於是「擲筊」的，而且這一賭一個專案可能就 2、3 百萬不見了，而且現已架上的系統，也不知該如何處理，每日還是有維運監控要做、資安要顧、頻寬費要付，一個泥沼循環，而真正的客戶需求被擺到一旁去了，是可怕沉沒成本的浪費。

　　因此，忍不住跟總經理提了希望能解決這樣的惡性循環，公司看資訊單位 IT 應從成本單位的思維轉換成投資概念的思維，要讓資訊單位與業務，客服單位共同面對營運上要解決的問題，不論這問題來自顧客，或來自公司內部的想法；而且公司看 IT 的價值，不是看完成多少支程式，寫完多少張需求單，

公司看營運單位，也不應是單純的看每月每季的營收與毛利，應同時看待為顧客創造多少的價值，有多少新顧客被創造、多少老顧客留下，所以應該同時兼顧短、長的發展。很幸運得到總經理的支持，請三叔公到公司來開講，選擇部分的團隊參與，同時要求了營運單位與資訊團隊一起學習，Training 結束，很高興看到團隊，真的在執行站立會議，對著看板討論，業務單位、產品單位、客服單位、開發單位會共同討論開發的順序與需求的價值。

另外，敏捷圈的朋友，大概都理解，敏捷強調持續改善，強調團隊內的資訊共享與透明，強調檢驗與適應，對我來說，在導入的經驗中這些必須是基於數字基礎下的實踐，因此在排序 Backlog 的過程，就應該納入數字來作為過程的探討，舉個例子，有次團隊們（業務、IT、客服、產品）共同認為某功能上線後，將會對消費者有巨大的幫助，但在迭代的過程中，發現這個需求只達到了預期的 12% ，應該不是消費者真正需求的，團隊們很自然停下後續的跟進，轉向其他更重要的功能。

在工作的領域中，我常跟同仁們說 IT 的工作，就像行軍作戰一樣，就是要做到進退有節，只要做到進退有節，敗不會到那裡去。敏捷就是這樣一個精神，敏捷非常仰賴團隊的經驗，因此經驗要分享，學習成長是要團隊一起來的；而對於主管們，如果想推動敏捷，我會小聲建議「請——主管，後退一步」，主管們要相信自己的團隊。

敏捷管理生存指南
不是快，而是適者生存　　上·基礎概念

作　　者	林裕丞 Yves
編　　者	翻滾海狸工作室
企劃總監	張翼鵬
責任編輯	黃鈺婷
校對協力	王雅慧、張曉華
封面繪製	葉千綸
版面構成	劉珊帆

發 行 人	楊子漠
出　　版	翻滾海狸工作室
	115 台北市南港區興中路28巷10號24樓
	0972-878955
網　　址	www.acrossbeavers.com
法律顧問	司馬仲達國際法律事務所

出版日期	2021年06月　初版一刷
	2021年07月　初版二刷
ISBN	978-986-99514-1-8
定　　價	NT$380